가정에서 할 수 있는
언어재활 프로젝트 제2판

첫째판 1쇄 발행	|	2013년 4월 15일
둘째판 1쇄 인쇄	|	2022년 8월 24일
둘째판 1쇄 발행	|	2022년 8월 31일

지 은 이 분당서울대학교병원 재활의학과 손혜민, 백남종
발 행 인 장주연
출 판 기 획 이성재
책 임 편 집 김수진
표지디자인 김재욱
편집디자인 주은미
일 러 스 트 신윤지
발 행 처 군자출판사(주)
　　　　　등록 제4-139호(1991. 6. 24)
　　　　　본사 (10881) **파주출판단지** 경기도 파주시 회동길 338(서패동 474-1)
　　　　　전화 (031) 943-1888　　　팩스 (031) 955-9545
　　　　　홈페이지 ｜ www.koonja.co.kr

ISBN 979-11-5955-906-8

정가 25,000원

제2판

가정에서 할 수 있는

언어재활 프로젝트

The **Speech-Language Rehabilitation Project** at Home

분당서울대학교병원 재활의학과
손혜민, 백남종 지음

군자출판사

가정에서 할 수 있는

언어재활
프로젝트

The **Speech-Language Rehabilitation Project** at Home

인사말

　언어장애로 인한 의사소통의 장애가 있을 경우 환자와 가족의 불편함과 절망은 이루 말할 수 없으며, 삶의 질 또한 매우 떨어지게 됩니다. 그러나 적절한 언어재활치료를 꾸준히 받을 경우 수십 년에 걸쳐 언어기능이 지속적으로 향상된다는 연구 결과는 매우 다행이고 고무적인 일이라 하겠습니다.

　그러나 현실은 병원까지 거동이 불편하거나 혹은 동행할 사람이 없어 치료를 자주 받기가 어렵고, 치료에 대한 경제적인 부담도 여전히 큰 형편입니다. 무엇보다 안타까운 것은 언어재활치료를 전문적으로 제공하는 기관과 경험을 갖춘 언어치료사도 많이 부족하여 환자 개개인에 적합한 효과적인 언어재활치료를 제공하지 못한다는 사실입니다.

　이러한 제한을 극복하고 일상생활 가운데 실질적으로 환자분들께 도움을 드리고자, 그동안 분당서울대학교병원 재활의학과의 언어치료실에서 실제로 행해졌던 언어재활치료의 경험을 바탕으로 가정에서 가족과 함께 체계적인 언어 훈련을 할 수 있는 내용들을 모아 워크북으로 구성하였습니다.

　초판을 보완하여 세분화된 난이도가 쉬운 것부터 단계적으로 시작하여 점차 복잡하고 어려운 과제를 수행할 수 있도록 고안하였습니다. 또한 가정에서뿐 아니라 각 병원의 언어치료실 현장에서도 쉽게 쓰일 수 있도록 구성하였으며, 이를 참고하여 치료사나 보호자가 스스로 응용할 수 있도록 하였습니다.

　아직 미흡한 점이 많습니다만 환자분들에게 최선의 재활치료를 제공하기 위해 분당서울대학교병원 재활의학과 의료진은 앞으로도 계속 노력하겠습니다. 아무쪼록 이 워크북이 언어장애를 갖고 계신 환자분과 가족들에게 많은 도움이 되었으면 하는 바람이며, 치유와 호전의 희망이 널리 전해지기를 기대합니다.

　끝으로 이번 워크북이 나올 때까지 수고를 아끼지 않은 언어치료실의 손혜민 선생님께 진심으로 감사드리며, 군자출판사에도 고마움을 전합니다.

2022년
분당서울대학교병원 재활의학과
교수 **백 남 종**

머리말

    <가정에서 할 수 있는 언어재활 프로젝트> 초판이 2013년에 출판되고 시간이 많이 흘렀습니다. 열심히 준비했었지만, 제1판은 갑작스럽고 촉박하게 만들게 되어 부족한 부분도 많았습니다. 그럼에도 불구하고 '시작' 자체를 격려해 주시고, 긍정적 피드백과 보완점을 말씀해 주신 모든 분들에게 먼저 감사를 드립니다.

    이번 제2판은 구성을 새롭게 하고 이전의 부족한 부분들을 보완하고자 노력하였습니다. 기능적 소통에 좀 더 유용한 치료목표가 될 수 있는 '단어' 부분을 보강하였고, 중등도~경미한 환자들이 자가학습을 하실 수 있는 과제들을 추가하였습니다.

    교재를 사용할 환자분들의 언어손상 정도나 영역별 수준 차이가 매우 다양할 것이므로 모든 사항들과 난이도를 고려하는 것이 쉽지 않았습니다. 하지만 환자의 언어기능과 목표에 맞게 필요한 장부터 시작하여 반복하시고, 서로 다른 장의 과제들을 함께 할 수도 있으며 치료를 받는 프로그램의 보충자료로 활용하여 조금이나마 도움이 되었으면 합니다.

    이 교재는 1장부터 10장으로 구성하였습니다. 언어특성을 고려하여 각 장마다 2~4가지 소과제들로 이루어져 있습니다. 1장은 시지각 변별과 인지-이해과제들이고, 2~4장은 다양한 단서와 접근방법을 활용한 단어의 이해와 표현을 연습할 수 있도록 구성하였습니다. 고빈도 단어들과 중급 이상의 단어들을 추리고 분량을 강화하였습니다. 5~7장은 문장으로 단어들을 의미, 통사, 구문에 맞게 연결하는 과제들과 단락을 읽고 이해하는 과제로 되어있습니다. 8~10장은 어휘의미 및 쓰임새와 문장이해 및 인지-언어 전반의 처리과정을 요하는 심화과제로 구성하였습니다.

부족한 점이 있지만 언어장애를 극복하기 위해 애쓰고 있는 환자분들과 가족들, 임상에서 함께 고군분투하고 있는 선생님들에게 작은 단초가 되었으면 합니다. 또한 기회가 된다면, 각 장마다 충분한 과제연습을 위한 워크북과 온라인 프로그램도 구상해 보고자 합니다.

누구나 거인의 어깨에 올라서 넓은 세상을 볼 수 있듯이, 이 기회를 빌려, 언어치료가 겨우 자리 잡기 시작할 즈음부터 손수 자료를 만들고 엮어서 나누었던 선구자적인 많은 언어재활사 선생님들에게 감사드립니다. 또한 현장에서 서로 힘이 되어 주시는 선후배, 동료들, 분당서울대병원 재활의학과 교수님들과 선생님들에게 감사드립니다. 이 일의 마중물이 되어 주신 백남종 교수님과 김수진 편집자님에게 감사드립니다.

마지막으로 늘 곁에서 힘이 되어 주시는 분들에게 고마움을 전하며 모든 언어장애 환자분들의 건강과 의사소통기능 향상을 기원합니다.

분당서울대학교병원 재활의학과 언어치료실
손 혜 민

차례

1장

인지 이해

+ 같은 것

+ 수 · 철자

+ 의미 짝

+ 순서

같은 것

 같은 것끼리 찾아주세요.

1  •   •

2  •   •

3  •   •

4  •   •

5  •   •

같은 것끼리 찾아주세요.

1  •

•

2  •

•

3  •

•

4  •

•

5  •

•

같은 것끼리 찾아주세요.

1  • •

2  • •

3  • •

4  • •

5 • •

같은 동전을 찾아주세요.

1 ·   ·

2 ·   · (500원)

3 (백원) ·   ·

4  ·   ·

같은 지폐를 찾아주세요.

1  ●   ●

2  ●   ●

3 ●   ●

4  ●   ●

똑같은 것을 찾아주세요.

1  • •

2  • •

3 • •

4  • •

5  • •

모양이 같은 것을 찾아주세요.

1  • •

2  • •

3 • •

4  • •

5  • •

색깔이 같은 것을 찾아주세요.

1

2

3

4

5

같은 모양을 찾아주세요.

1  •   •

2  •   •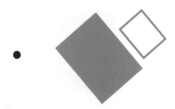

3  •   •

4  •   •

5  •   •

같은 모양을 찾아주세요.

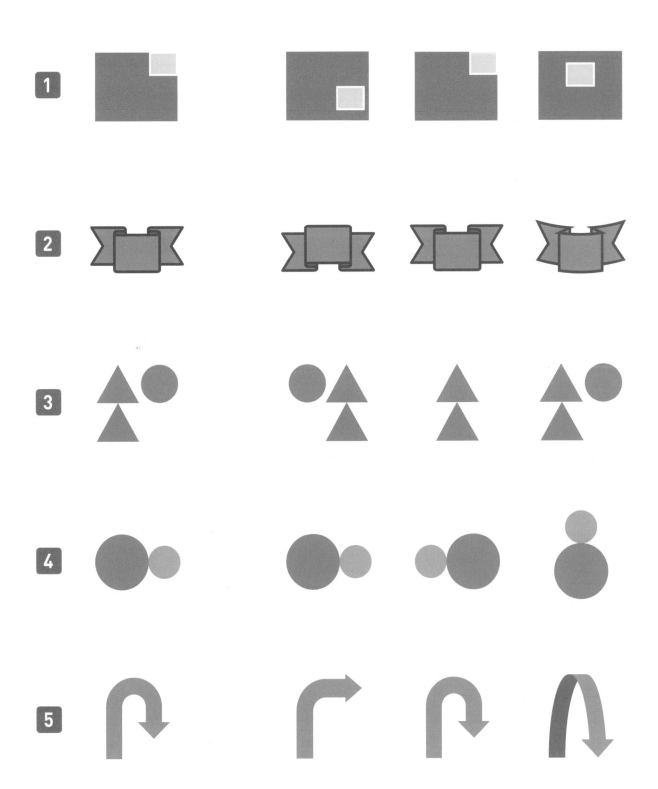

수·철자

예시

숫자 '**8**'을 모두 찾아주세요.

⑧ 9, 0, 3, ⑧ 6, 81, ⑧

1 숫자 '**2**'를 모두 찾아주세요.

4, 21, 2, 12, 6, 20, 2, 8

2 숫자 '**16**'을 모두 찾아주세요.

16, 8, 16, 8, 61, 6, 91

3 숫자 '**78**'을 모두 찾아주세요.

76, 71, 78, 17, 78, 7, 87

4 숫자 '**109**'를 모두 찾아주세요.

19, 190, 09, 109, 96, 109

5 '9' 다음 숫자를 찾아주세요.

19, 3, 10, 8, 9, 6

6 '5 와 8' 사이 숫자를 모두 찾아주세요.

61, 5, 6, 14, 1, 7

7 '2+3'을 찾아주세요.

4, 3, 6, 8, 5, 12

8 '17'보다 작은 숫자를 모두 찾아주세요.

12, 21, 16, 18, 10, 70

9 '12 와 16' 사이 숫자를 찾아주세요.

10, 11, 14, 21, 111, 27

1 '딸' 자를 찾아주세요.

쌀　　띨　　떨　　달　　딸

2 '쌀' 자를 찾아주세요.

썰　　쌀　　딸　　짤　　썰

3 '소리' 자를 찾아주세요.

고 리　　조 리　　소 리　　오 리

4 '인정' 자를 찾아주세요.

이 정　　언 정　　은 정　　인 정

5 '환호성' 자를 찾아주세요.

호 황　　한호성　　환호성　　호한성

6 '**겨울**' 을 찾아주세요.

| 거울 | 가을 | 겨울 | 여름 | 봄 |

7 '**넷**' 과 '**일곱**' 을 찾아주세요.

| 셋 | 넷 | 일급 | 이른 | 일곱 |

8 '**숫자**' 를 찾아주세요.

| Ⅲ | B C | 1 6 | $ | 정 |

9 '**도형**' 을 찾아주세요.

| 한 글 | 情 | e | ⬠ | 1 / 2 |

10 '**글자**' 를 찾아주세요.

| ⅩⅡ | 정 | ㊼ | a b c | ? | @ |

11 '아홉' 에 해당하는 숫자를 찾아주세요.

19,   3,   10,   8,   9,   6

12 '넷' 과 '일곱' 에 해당하는 숫자들을 찾아주세요.

61,   5,   6,   4,   1,   7

13 '겨울' 과 관계 있는 숫자를 찾아주세요.

5,   6,   8,   12,   30

14 '열흘' 에 해당하는 숫자를 찾아주세요.

11,   15,   101,   10,   200,   110

15 '천일' 에 해당하는 숫자를 찾아주세요.

10,   110,   100,   2002,   1001

철자 짝이 같은 것을 찾아주세요.

| 밤 - 범 | 돈 - 돈 | 몸 - 논 |

1 곰 - 곰 　　 임 - 입 　　 공 - 곰

2 팔 - 풀 　　 쌀 - 쌀 　　 꽃 - 꽃

3 집 - 겁 　　 톱 - 톱 　　 값 - 갑

4 삯 - 삭 　　 갑 - 감 　　 값 - 값

5 참 - 창 　　 꿈 - 꿈 　　 돈 - 논

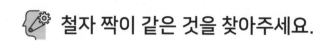 철자 짝이 같은 것을 찾아주세요.

| 돼지 - 대지 | 토지 - 토지 | 토끼 - 토지 |

1   가위 - 거위   고래 - 고래   기린 - 거리

2   종이 - 종이   노래 - 모래   주름 - 구름

3   의자 - 이사   의사 - 의사   의지 - 의자

4   신발 - 심박   여름 - 그름   전화 - 전화

5   달력 - 달력   점심 - 저녁   저울 - 서울

철자 짝이 같은 것을 찾아주세요.

(마스크 - 마스크)　　　마이크 - 마스크　　　마르크 - 마스크

1　숟가락 - 숫가락　　　수가락 - 손가락　　　숟가락 - 숟가락

2　종소리 - 종소리　　　봉오리 - 멍우리　　　종달이 - 봉달이

3　간호사 - 변호사　　　세탁기 - 세탁기　　　옷걸이- 목걸이

4　소나기 - 소나기　　　보내기 - 보자기　　　소화기- 수화기

5　팥빙수 - 탑빙수　　　운동화 - 운동화　　　사진관 - 사군자

의미 짝

🧠 같은 종류를 찾아주세요.

1  •   •

2  •   •

3  •   •

4 •   •

5 •   •

6 •   •

어울리는 것을 하나씩 더 찾아주세요.

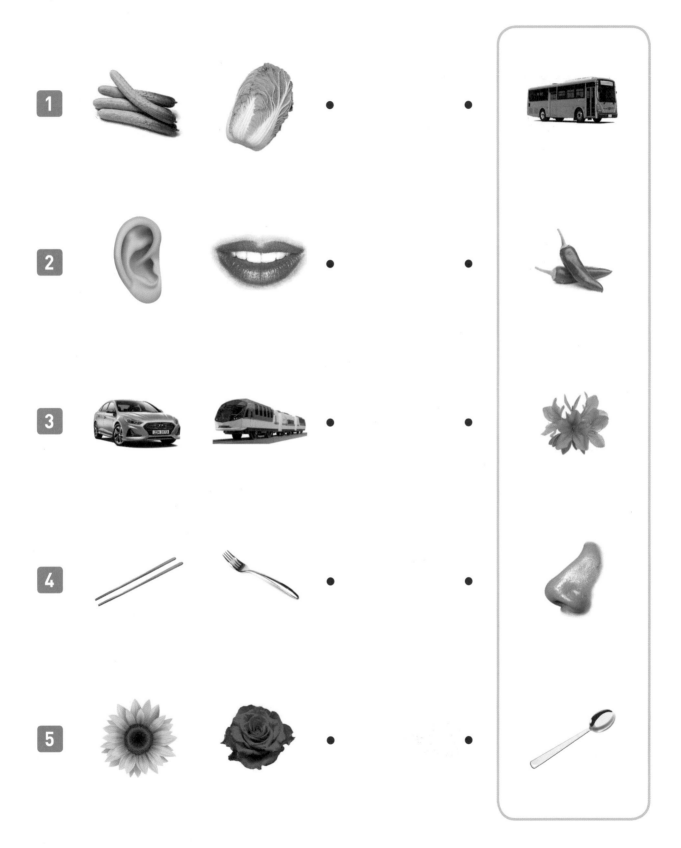

어울리는 것을 하나씩 더 찾아주세요.

1

2

3

4

5

물건 개수에 맞는 것을 연결하세요.

1 •   • 하나

2 •   • 둘

3 •   • 셋

4 •   • 넷

5 •   • 다섯

도형 개수에 맞는 것을 연결하세요.

1 하나 ·

2 둘 ·

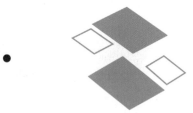

3 셋 ·

4 넷 ·

5 다섯 ·

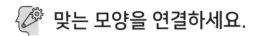 맞는 모양을 연결하세요.

1	원뿔	•	•	(정육면체 이미지)
2	반달	•	•	(별 이미지)
3	하트	•	•	(원뿔 이미지)
4	삼각형	•	•	(반달 이미지)
5	정육면체	•	•	(삼각형 이미지)
6	별	•	•	(물음표 이미지)
7	물음표	•	•	(하트 이미지)

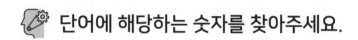

1	일주일	•		•	15
2	환갑	•		•	4
3	백일	•		•	60
4	보름	•		•	7
5	네 잎	•		•	100
6	동짓달	•		•	365
7	일 년	•		•	11

🖊️ 단어와 관계 있는 색깔을 골라주세요.

예시

빨간불 ⚪ ⚫

1 병아리 ⚪ ⚪

2 장미 ⚫ ⚫

3 자두 ⚪ ⚫

4 바다 ⚪ ⚪

5 까마귀 ⚫ ⚪

6 해바라기 ⚪ ⚪

순서

 1-50까지 숫자판을 완성해 주세요.

1			4	5
6		8		10
	12		14	
16		18	19	
21		23		25
	27		29	
31		33		35
	37		39	
	42		44	
		48		50

1~31일까지 달력을 완성해 주세요.

일	월	화	수	목	금	토
				1	2	
4	5		7		9	10
	12		14		16	
18		20		22		
	26		28			31

1 도 ◯ 미 ◯ 솔

2 월 ◯ 수 ◯ 금

3 도 ◯ 걸 ◯ 모

4 년 ◯ 일 ◯ 분

5 유치원 ◯ 중학교 ◯ 대학교

큰 순서대로 번호를 써 주세요.

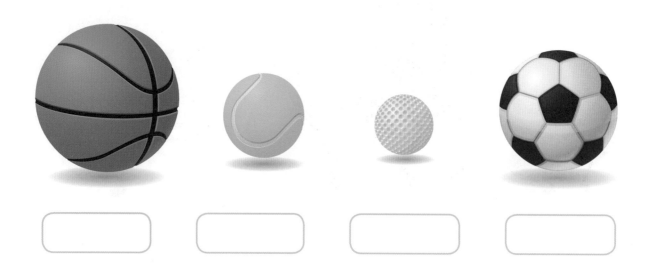

나비가 되는 순서대로 번호를 써 주세요.

1

2

3

4

* 가능하면 말로 설명하기도 해 보세요.

⟩   ⟩   ⟩

개구리가 되는 순서대로 번호를 써 주세요.

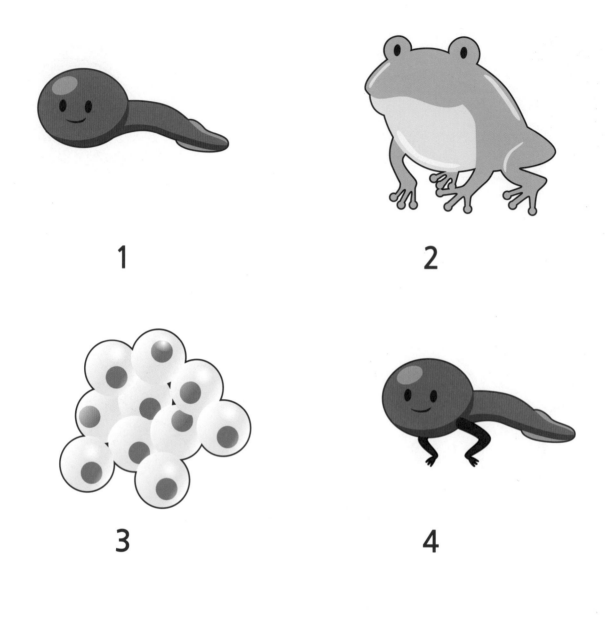

1

2

3

4

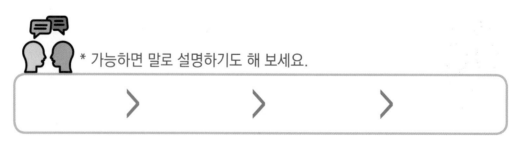

* 가능하면 말로 설명하기도 해 보세요.

> > >

2장

단어 의미

+ 단어 인지

+ 단어 결합

+ 의미 범주

+ 연관 단어

단어 인지

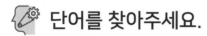

단어를 찾아주세요.

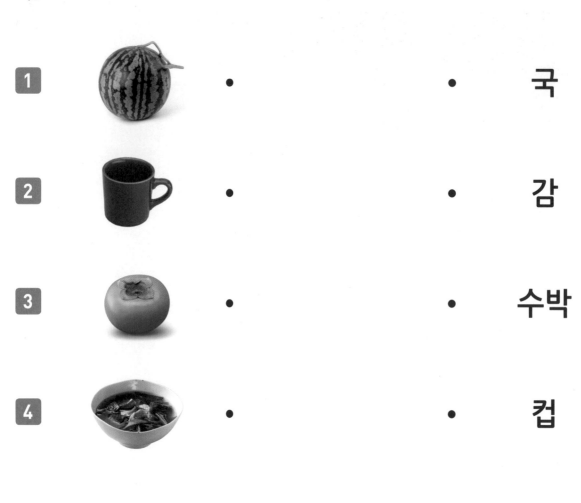

1	•	• 국
2	•	• 감
3	•	• 수박
4	•	• 컵
5	•	• 시계
6	•	• 연필

단어를 찾아주세요.

7  • • 책

8  • • 포크

9  • • 자전거

10  • • 밤

11 • • 바나나

12  • • 꽃

1  •   • 꽃

2  •   • 책

3  •   • 컵

4 •   • 집

5  •   • 빗

6  •   • 못

단어를 찾아주세요.

7 양말

8 소파

9 신발

10 안경

11 칫솔

12 나무

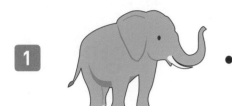 단어를 찾아주세요.

1   •   •   **옥수수**

2   •   •   **코끼리**

3   •   •   **비행기**

4   •   •   **피아노**

5   •   •   **주전자**

6   •   •   **유모차**

 단어를 찾아주세요.

7   •   •   **신호등**

8   •   •   **책상**

9   •   •   **장갑**

10   •   •   **고양이**

11   •   •   **버스**

12   •   •   **포도**

해당하는 이름을 찾아주세요.

① 목   ② 눈   ③ 발   ④ 입   ⑤ 이마

⑥ 손   ⑦ 코   ⑧ 턱   ⑨ 머리   ⑩ 귀

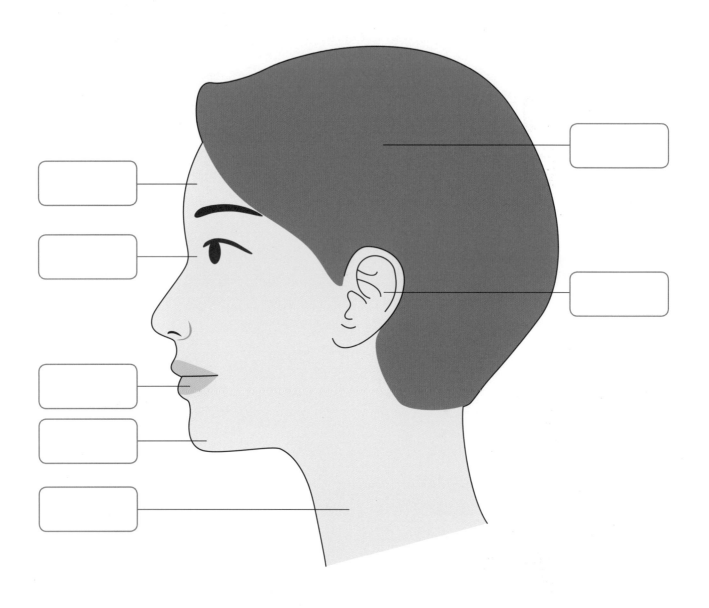

해당하는 이름을 찾아주세요.

① 머리　② 어깨　③ 발　④ 목　⑤ 허벅지

⑥ 팔꿈치　⑦ 등　⑧ 무릎　⑨ 손　⑩ 가슴

그림에 맞는 단어를 찾아주세요.

1    •   • **웃는다**

2    •   • **아프다**

3    •   • **쓰다듬다**

4    •   • **배부르다**

5    •   • **잔다**

그림에 맞는 단어를 찾아주세요.

6 •

• 오린다

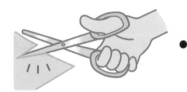
7 •

• 탄다

8 •

• 업는다

9 •

• 찍는다

10 •

• 기침한다

그림에 맞는 단어를 찾아주세요.

 1 •   • 먹는다

 2 •   • 신는다

 3 •   • 닦는다

 4 •   • 나온다

 5 •   • 공부한다

그림에 맞는 단어를 찾아주세요.

 6 •

 7 •

 8 •

 9 •

 10 •

• 세수한다

• 신는다

• 걷는다

• 걸어둔다

• 쓸다

1   •   •   **통화한다**

2   •   •   **목욕한다**

3   •   •   **빗는다**

4   •   •   **요리한다**

5   •   •   **기다린다**

그림에 맞는 단어를 찾아주세요.

6 •

• 찬다

7 •

• 돌린다

8 •

• 맞춘다

9 •

• 민다

10 •

• 줍는다

그림에 맞는 단어를 찾아주세요.

11  •   • 선물한다

12  •   • 공부한다

13  •   • 박는다

14  •   • 옮긴다

15  •   • 말한다

단어에 맞는 그림을 찾아보세요.

단어에 맞는 그림을 찾아보세요.

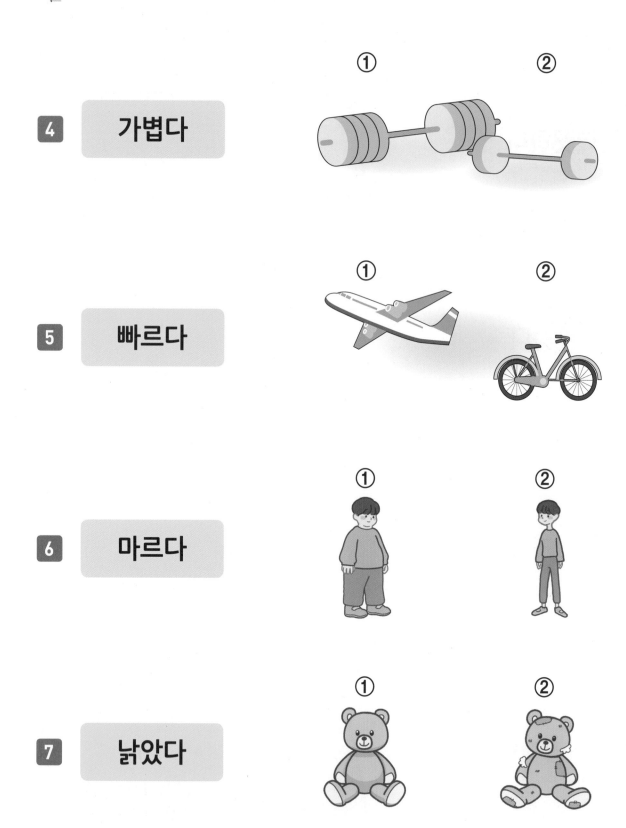

4 가볍다 ① ②

5 빠르다 ① ②

6 마르다 ① ②

7 낡았다 ① ②

단어에 맞는 그림을 찾아보세요.

8 배부르다

① 　②

9 뽀족하다

① 　②

10 느리다

① 　②

11 어둡다

① 　②

단어에 맞는 그림을 찾아보세요.

		①	②
12	뜨겁다		

		①	②
13	곧다		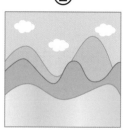

		①	②
14	길쭉하다		

		①	②
15	무르다		

단어 결합

🧠 어울리는 단어끼리 연결하세요.

1   남   •   •   비

2   왕   •   •   여

3   짝   •   •   백

4   흑   •   •   뒤

5   좌   •   •   홀

6   앞   •   •   불

7   물   •   •   우

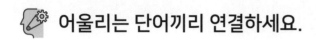 어울리는 단어끼리 연결하세요.

8	상	•		•	서
9	동	•		•	후
10	전	•		•	하
11	명	•		•	발
12	손	•		•	암
13	고	•		•	밖
14	안	•		•	저

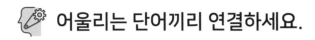 어울리는 단어끼리 연결하세요.

1	떡 •	• 잔
2	술 •	• 신
3	털 •	• 국
4	책 •	• 밤
5	꿀 •	• 밭
6	쌀 •	• 장
7	논 •	• 떡

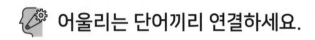 어울리는 단어끼리 연결하세요.

8   물   •   •   컵

9   빵   •   •   밭

10   달   •   •   집

11   약   •   •   빛

12   손   •   •   병

13   눈   •   •   등

14   솔   •   •   물

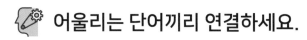 어울리는 단어끼리 연결하세요.

1 손 • • 걸레

2 물 • • 수건

3 돌 • • 모자

4 책 • • 다리

5 털 • • 가방

6 꽃 • • 이불

7 솜 • • 다발

어울리는 단어끼리 연결하세요.

8	나팔	•		•	엿
9	호박	•		•	꽃
10	복용	•		•	국
11	된장	•		•	약
12	만화	•		•	공
13	모래	•		•	책
14	축구	•		•	성

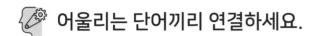 어울리는 단어끼리 연결하세요.

1	**안전** •	• **김치**
2	**배추** •	• **번호**
3	**교통** •	• **운전**
4	**계좌** •	• **신호**
5	**국어** •	• **잔치**
6	**환갑** •	• **여행**
7	**신혼** •	• **사전**

🧠 어울리는 단어끼리 연결하세요.

8   건강   •   •   학생

9   여름   •   •   시계

10   초등   •   •   식품

11   모래   •   •   전화

12   무선   •   •   방학

13   감자   •   •   주사

14   독감   •   •   튀김

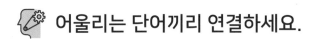 어울리는 단어끼리 연결하세요.

1	중고	•		•	지역
2	영재	•		•	시장
3	곤충	•		•	병원
4	견인	•		•	교육
5	재활	•		•	채집
6	회전	•		•	용기
7	밀폐	•		•	목마

8	경제	•		•	가루
9	비닐	•		•	버스
10	설탕	•		•	현실
11	시내	•		•	발전
12	가상	•		•	배상
13	운전	•		•	봉지
14	손해	•		•	면허

의미 범주

어울리는 것끼리 연결하세요.

1 **동물** •

2 **식물** •

3 **돈** •

4 **채소** •

5 **악기** •

6 **음식** •

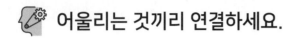 어울리는 것끼리 연결하세요.

7	과일	•		•	
8	야채	•		•	
9	교통기관	•		•	
10	가구	•		•	
11	학용품	•		•	
12	전자제품	•		•	

둘 중에서 해당되는 하나를 찾아주세요.

1　동물

2　필기구

3　간식

4　과일

5　식기

6　가구

둘 중에서 해당되는 하나를 찾아주세요.

7 화폐

8 식물

9 신체부위

10 생활용품

11 악기

12 의복

어울리는 것끼리 연결하세요.

1	과일	•		•	연필
2	간식	•		•	바나나
3	가구	•		•	초코파이
4	주방용품	•		•	할머니
5	학용품	•		•	야구
6	가족	•		•	국자
7	스포츠	•		•	책상

![icon] 어울리는 것끼리 연결하세요.

8	**색깔**	•	• **가위**
9	**나라**	•	• **청바지**
10	**도구**	•	• **스위스**
11	**옷**	•	• **경기장**
12	**공공시설**	•	• **의사**
13	**도시**	•	• **초록**
14	**직업**	•	• **부산**

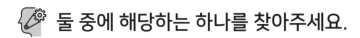 둘 중에 해당하는 하나를 찾아주세요.

1	산	제물포	설악
2	음식	부엌	갈비
3	취미	소재	낚시
4	날씨	맑음	섭씨
5	금속	금	면화
6	음료	녹말	홍차
7	꽃	호박	철쭉

둘 중에 해당하는 하나를 찾아주세요.

8   유럽   영국   일본

9   파충류   해삼   뱀

10 도형   가르마   마름모

11 발효식품   국   장

12 해산물   벼루   멍게

13 운동선수   손흥민   송강호

14 사자성어   고진감래   그루터기

먹을 수 있는 것을 모두 찾아주세요. 이름도 말해보세요.

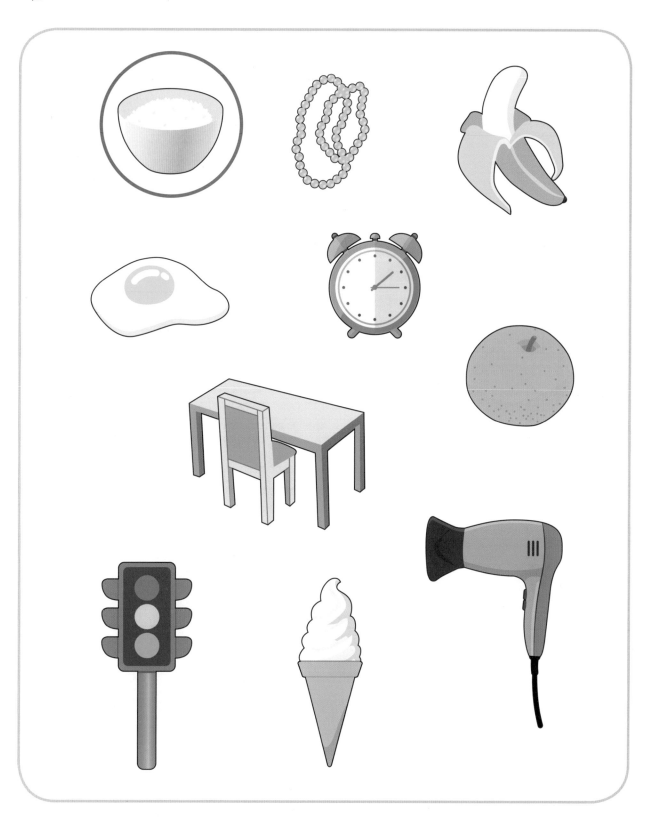

탈 수 있는 것을 모두 찾아주세요. 이름도 말해보세요.

신을 수 있는 것을 모두 찾아주세요. 이름도 말해보세요.

먹을 때 사용하는 것을 모두 찾아주세요. 이름도 말해보세요.

동물을 모두 찾아주세요. 이름도 말해보세요.

과일을 모두 찾아주세요. 이름도 말해보세요.

채소를 모두 찾아주세요. 이름도 말해보세요.

직업을 모두 찾아주세요. 이름도 말해보세요.

음식 이름을 모두 찾아주세요.

튀김

쟁반

전골

팽이

냉면

드럼

찜닭

파자마

닭장

피자

찌개

잡채

악기 이름을 모두 찾아주세요.

젤리 　　　　 나팔 　　　　 조끼

피아노 　　　　 음악

첼로 　　　　 기타 　　　　 드럼

마이크 　　　　 탬버린

바이올린 　　　　 연

운동경기 이름을 모두 찾아주세요.

투수 공 골프

육상 농부

수영 양궁 골키퍼

축구 방망이 스케이트

야구 장갑 배구

허리 　　　　 톡 　　　　 침

열 　　　　 손목 　　　　 머리

　　 아파 　　　　 무릎

어깨 　　　　 진통 　　　　 눈꼽

　　 입구 　　　　 가게 X

생선 이름이 아닌 단어를 X 해 주세요.

연어 ~~송이~~

참치 송어 버섯

고등어 멸치

다시마 튀김 갈치

갈무리

개학날   추석   휴일

설날   광복절

오후   월요일   한글날

한가위   일요일

방학   말복

연관 단어

어울리는 단어의 짝을 고르세요.

1 꽃과 _____ 비 (나비)

2 눈과 _____ 비 성

3 코와 _____ 붓 입

4 실과 _____ 벼슬 바늘

5 빗과 _____ 그물 거울

6 손과 _____ 발 벌

7 왕과 _____ 상 왕비

어울리는 단어의 짝을 고르세요.

8 산과 _____   비   들

9 못과 _____   열쇠   망치

10 여름과 _____   추수   겨울

11 연필과 _____   저울   지우개

12 빛과 _____   겨울   그림자

13 글자와 _____   숫자   수양

14 소와 _____   악어   돼지

어울리는 단어의 짝을 고르세요.

1 붓과 _____   연필   물감

2 밥과 _____   염치   김치

3 옷과 _____   팔걸이   옷걸이

4 날짜와 _____   요리   요일

5 이불과 _____   베개   베일

6 돈과 _____   카드   달력

7 껍질과 _____   알맹이   달구지

어울리는 단어의 짝을 고르세요.

8　종이와 _____　　　시계　　　연필

9　누나와 _____　　　동생　　　동기

10　잼과 _____　　　　빵　　　물

11　산과 _____　　　학교　　　바다

12　엄지와 _____　　　바늘　　　검지

13　비와 _____　　　바람　　　사과

14　여름과 _____　　　달　　　더위

어울리는 단어의 짝을 고르세요.

1 엄마와 _____   아기   노래

2 질문과 _____   편지   대답

3 머리와 _____   소리   다리

4 북과 _____   당구   장구

5 지퍼와 _____   단추   비단

6 잉크와 _____   만년설   만년필

7 천사와 _____   악마   궁전

어울리는 단어의 짝을 고르세요.

8 기침과 _____   콧물   멍

9 발과 _____   벌   발톱

10 연필과 _____   빨대   지우개

11 구두와 _____   차고   시계

12 꿈과 _____   희망   정원

13 투수와 _____   벌타   타자

14 이름과 _____   주소   신문

![icon] 어울리는 단어의 짝을 고르세요.

1. 책과 _____   책갈피   손잡이

2. 차와 _____   과자   고래

3. 물병과 _____   가마   도시락

4. 운동과 _____   휴식   친구

5. 수첩과 _____   포크   볼펜

6. 배우와 _____   메신저   매니저

7. 평화와 _____   시도   화합

8 늑대와 _____   공룡   여우

9 뿌리와 _____   줄거리   줄기

10 국과 _____   수건   찌개

11 신사와 _____   숙녀   사제

12 치마와 _____   저고리   수선

13 휘발유와 _____   지젤   디젤

14 선수와 _____   감사   감독

어울리는 단어의 짝을 고르세요.

1 사랑과 _____   우정   미래

2 돈과 _____   메달   명예

3 힘과 _____   용기   용서

4 정직과 _____   실내   신뢰

5 소통과 _____   공전   공감

6 화합과 _____   청춘   단결

7 기회와 _____   숙면   모험

어울리는 단어의 짝을 고르세요.

8   **권리와** _____   **이사**   **의무**

9   **지식과** _____   **감면**   **감성**

10   **경제와** _____   **정치**   **구청**

11   **배신과** _____   **음모**   **음도**

12   **도전과** _____   **노선**   **성공**

13   **정의와** _____   **질문**   **질서**

14   **기억과** _____   **추억**   **과녁**

1	눈, 코	•		•	거기
2	여기, 저기	•		•	별
3	초, 분	•		•	입
4	어제, 오늘	•		•	내일
5	해, 달	•		•	시
6	빨강, 파랑	•		•	노랑
7	믿음, 소망	•		•	사랑

관계 있는 단어를 연결하세요.

8   나, 너   •   • 공군

9   하늘, 땅   •   • 바다

10   육군, 해군   •   • 반찬

11   밥, 국   •   • 우리

12   붓, 종이   •   • 동

13   금, 은   •   • 기체

14   액체, 고체   •   • 먹

🔧 사람과 어울리는 장소를 고르세요.

1	의사, 간호사	•		•	성당
2	신부, 수녀	•		•	법원
3	배우, 피디	•		•	병원
4	학생, 선생님	•		•	도청
5	변호사, 판사	•		•	식당
6	도지사, 공무원	•		•	학교
7	요리사, 직원	•		•	방송국

사람과 어울리는 장소를 고르세요.

8	사육사, 관람객	•		•	항공사
9	스님, 불자	•		•	동물원
10	승무원, 조종사	•		•	극장
11	손님, 점원	•		•	절
12	배우, 관객	•		•	국회
13	목사, 전도사	•		•	백화점
14	의원, 보좌관	•		•	교회

두 단어와 관계 있는 말을 고르세요.

1   빨강, 119   경찰차   소방차

2   졸업, 입학   창업   학교

3   색, 향기   신호등   꽃

4   선수, 메달   올림픽   출장

5   환자, 의사   약국   병원

6   누나, 쌍둥이   동료   형제

7   케익, 촛불   방학   생일

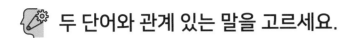
8	가난, 부자	돈	명예
9	예금, 적금	주식	저축
10	부부, 사돈	이사	결혼
11	성묘, 차례	추석	동지
12	예습, 복습	취직	학업
13	이야기, 그림	수첩	만화책
14	가루, 원두	잡채	커피

3장

단어 음운

+ **음소 합성**

+ **음소 분리**

+ **음절 배열**

+ **공통 음절**

음소 합성

✏️ 자음+모음 결합한 단어를 찾아주세요.

예시

ㅅ	ㅗ	ㅁ

➡️ 삼 ⊙솝 섬

1 | ㅅ | ㅗ | ㄴ | ➡️ 솜 손 산

2 | ㅂ | ㅜ | ㄹ | ➡️ 발 벌 불

3 | ㄱ | ㅗ | ㅇ | ➡️ 공 강 곰

4 | ㄷ | ㅏ | ㄹ | ➡️ 돌 달 둘

5 | ㅇ | ㅛ | ㅇ | ➡️ 영 양 용

자음+모음 결합한 단어를 찾아주세요.

| 6 | ㄴ | ㅜ | ㄴ | ➡ | 돈 눈 논 |

| 7 | ㅅ | ㅣ | ㄴ | ➡ | 신 순 진 |

| 8 | ㄸ | ㅏ | ㅇ | ➡ | 탕 뚱 땅 |

| 9 | ㅊ | ㅏ | ㅇ | ➡ | 청 총 창 |

| 10 | ㄲ | ㅜ | ㅁ | ➡ | 꿈 껌 끝 |

| 11 | ㅅ | ㅗ | ㄹ | ➡ | 술 졸 솔 |

| 12 | ㄱ | ㅣ | ㅁ | ➡ | 검 김 곰 |

자음+모음 결합한 단어를 찾아주세요.

예시

ㅂ	ㅏ	ㄹ	➡	발

1

ㄸ	ㅓ	ㄱ	➡	

2

ㅈ	ㅣ	ㅂ	➡	

3

ㄱ	ㅜ	ㄹ	➡	

4

ㄸ	ㅏ	ㅁ	➡	

5

ㅌ	ㅏ	ㅂ	➡	

자음+모음 결합한 단어를 찾아주세요.

6 | ㄴ | ㅏ | ㅁ | ➡ | |

7 | ㅁ | ㅗ | ㄱ | ➡ | |

8 | ㅈ | ㅓ | ㅇ | ➡ | |

9 | ㅅ | ㅓ | ㅁ | ➡ | |

10 | ㅁ | ㅜ | ㄹ | ➡ | |

11 | ㅋ | ㅗ | ㅇ | ➡ | |

12 | ㅂ | ㅕ | ㄹ | ➡ | |

🧠 자음+모음 결합한 단어를 찾아주세요.

예시

ㅇ	ㅜ	ㅇ	ㅠ

➡ (우유)   유유

1

ㅁ	ㅗ	ㅈ	ㅏ

➡   모자   모과

2

ㄱ	ㅓ	ㅁ	ㅣ

➡   개미   거미

3

ㅂ	ㅓ	ㅅ	ㅡ

➡   버스   버시

4

ㄷ	ㅏ	ㄹ	ㅣ

➡   라미   다리

5

ㅇ	ㅢ	ㅈ	ㅏ

➡   이자   의자

자음+모음 결합한 단어를 찾아주세요.

6 | ㄱ | ㅏ | ㅇ | ㅟ | ➡ | 가위 | 거위

7 | ㅍ | ㅗ | ㅋ | ㅡ | ➡ | 포크 | 토크

8 | ㅅ | ㅣ | ㄱ | ㅖ | ➡ | 시계 | 시개

9 | ㅂ | ㅏ | ㅈ | ㅣ | ➡ | 바지 | 버지

10 | ㅊ | ㅣ | ㄹ | ㅛ | ➡ | 재료 | 치료

11 | ㄲ | ㅗ | ㄹ | ㅣ | ➡ | 꼬리 | 끄리

12 | ㄴ | ㅜ | ㅇ | ㅔ | ➡ | 누에 | 두메

예시

| ㅎ | ㅏ | ㄱ | ㄱ | ㅛ | → | 학 | 교 |

1 | ㄱ | ㅏ | ㅂ | ㅏ | ㅇ | → | | |

2 | ㅊ | ㅣ | ㅁ | ㄷ | ㅐ | → | | |

3 | ㄱ | ㅖ | ㅅ | ㅏ | ㄴ | → | | |

4 | ㄴ | ㅗ | ㅇ | ㄱ | ㅜ | → | | |

5 | ㅂ | ㅗ | ㅁ | ㅂ | ㅣ | → | | |

📝 자음+모음 결합한 단어를 찾아주세요.

6 | ㄴ | ㅗ | ㄱ | ㅊ | ㅏ | ➡ | | |

7 | ㅇ | ㅜ | ㅅ | ㅏ | ㄴ | ➡ | | |

8 | ㅅ | ㅏ | ㅇ | ㅈ | ㅏ | ➡ | | |

9 | ㅊ | ㅣ | ㅇ | ㅑ | ㄱ | ➡ | | |

10 | ㄸ | ㅏ | ㄹ | ㄱ | ㅣ | ➡ | | |

11 | ㅂ | ㅓ | ㅅ | ㅓ | ㅅ | ➡ | | |

12 | ㅈ | ㅏ | ㅇ | ㅁ | ㅣ | ➡ | | |

음소 분리

🧠 자음과 모음으로 나누어 주세요.

예시

꽃	➡	ㄲ	ㅗ	ㅊ

1 북 ➡

ㅂ		ㄱ

2 말 ➡

	ㅏ	

3 빵 ➡

ㅃ		

4 책 ➡

	ㅐ	ㄱ

5 별 ➡

		ㄹ

자음과 모음으로 나누어 주세요.

6	돈	→	ㄷ		
7	톱	→		ㅗ	
8	강	→	ㄱ		
9	칼	→		ㅏ	
10	쌀	→	ㅆ		
11	귤	→			ㄹ
12	펜	→	ㅍ		

🖊️ 자음과 모음으로 나누어 주세요.

예시

| 가 | 방 | ➡ | ㄱ | ㅏ | ㅂ | ㅏ | ㅇ |

1 | 냄 | 비 | ➡ | ㄴ | | ㅁ | | |

2 | 망 | 치 | ➡ | | ㅏ | | ㅊ | |

3 | 우 | 산 | ➡ | ㅇ | | | ㅏ | |

4 | 전 | 화 | ➡ | ㅈ | | | ㅎ | |

5 | 친 | 구 | ➡ | ㅊ | | ㄴ | | |

✏️ 자음과 모음으로 나누어 주세요.

6 엄 마 ➡ | | ㅓ | | ㅁ | |

7 겨 울 ➡ | ㄱ | | ㅇ | |

8 사 랑 ➡ | | ㅏ | | ㅏ | |

9 수 첩 ➡ | | ㅜ | | | ㅂ |

10 재 활 ➡ | | | ㅎ | ㄹ |

11 저 녁 ➡ | ㅈ | | ㄴ | |

12 수 건 ➡ | | ㅜ | | | ㄴ |

음절 배열

철자를 바꾸어 맞는 단어를 찾아주세요.

예시

생	선	님

➡ (선생님) 생선님

1

동	차	자

➡ 자차동 　 자동차

2

마	구	고

➡ 고구마 　 마구고

3

파	트	아

➡ 아파트 　 아트파

4

니	머	할

➡ 할니머 　 할머니

5

핸	폰	드

➡ 핸드폰 　 폰드핸

철자를 바꾸어 맞는 단어를 찾아주세요.

6 | 버 | 탬 | 린 | ➡ | 탬버린 | 린버탬

7 | 호 | 신 | 등 | ➡ | 신호등 | 호신등

8 | 수 | 수 | 옥 | ➡ | 수옥수 | 옥수수

9 | 사 | 기 | 주 | ➡ | 주사기 | 사주기

10 | 호 | 간 | 사 | ➡ | 간호사 | 사간호

11 | 전 | 자 | 거 | ➡ | 거전자 | 자전거

12 | 체 | 어 | 휠 | ➡ | 휠체어 | 체어휠

✏️ 철자를 바꾸어 맞는 단어를 찾아주세요.

예시

| 라 | 미 | 동 | 그 |

➡️ 동라그미 (동그라미)

1

| 바 | 올 | 이 | 린 |

➡️ 바이올린 바올이린

2

| 드 | 샌 | 위 | 치 |

➡️ 샌위드치 샌드위치

3

| 라 | 해 | 바 | 기 |

➡️ 해바라기 해라바기

4

| 개 | 이 | 쑤 | 시 |

➡️ 이쑤시개 이시쑤개

5

| 모 | 스 | 코 | 스 |

➡️ 코스모스 코모스스

철자를 바꾸어 맞는 단어를 찾아주세요.

6 | 세 | 미 | 먼 | 지 | ➡ 미지먼세 **미세먼지**

7 | 요 | 르 | 구 | 트 | ➡ 요르구트 **요구르트**

8 | 루 | 라 | 호 | 기 | ➡ **호루라기** 호라루기

9 | 드 | 이 | 라 | 기 | ➡ 드이라기 **드라이기**

10 | 파 | 인 | 플 | 애 | ➡ **파인애플** 파애인플

11 | 허 | 비 | 아 | 수 | ➡ 하비수아 **허수아비**

12 | 심 | 이 | 심 | 전 | ➡ 전심이심 **이심전심**

공통 음절

🖊️ 공통으로 들어갈 소리-철자를 고르세요.

예시

| 설___ | 솜사___ | 곰___ | ➡️ | (탕) 교 |

---

1 | 국___ | 단___ | 맹___ | ➡️ | 줄 물

2 | 가___ | 택___ | 접___ | ➡️ | 시 수

3 | 장___ | 전___ | 탁___ | ➡️ | 구 기

4 | 군___ | 부___ | 괴___ | ➡️ | 산 주

5 | 카세___ | 아파___ | 페인___ | ➡️ | 프 트

공통으로 들어갈 소리-철자를 고르세요.

6 | 사___ | 고___ | 아___ | → | 기 빠

7 | 구___ | 만___ | 호___ | → | 기 두

8 | 치___ | 파___ | 하___ | → | 마 도

9 | 매___ | 거___ | 개___ | → | 미 구

10 | 도___ | 토___ | 조___ | → | 끼 마

11 | 파___ | 피___ | 머___ | → | 리 도

12 | 의___ | 사___ | 피___ | → | 자 라

공통으로 들어갈 소리-철자를 고르세요.

예시

| ___교 | ___생 | ___비 | ➡ | （학） 핵 |

1

| ___위 | ___재 | ___지 | ➡ | 가　거 |

2

| __미자 | ___락 | ___이 | ➡ | 오　라 |

3

| ___진 | ___자 | ___습 | ➡ | 사　영 |

4

| ___지 | ___퀴 | __나나 | ➡ | 바　부 |

5

| ___주 | ___비 | ___사 | ➡ | 경　서 |

공통으로 들어갈 소리-철자를 고르세요.

| 6 | ___둑 | ___마 | ___라지 | ➡ | 도 | 토 |

| 7 | ___팔 | ___비 | ___무 | ➡ | 고 | 나 |

| 8 | ___추 | ___수 | ___래 | ➡ | 고 | 베 |

| 9 | ___레 | ___메라 | ___드 | ➡ | 카 | 코 |

| 10 | ___수 | ___사 | ___자 | ➡ | 박 | 재 |

| 11 | ___가 | ___분 | ___살 | ➡ | 화 | 꽃 |

| 12 | ___발 | ___별 | ___슬 | ➡ | 이 | 모 |

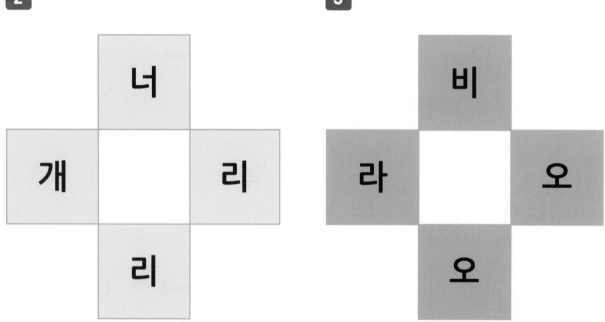

공통으로 들어갈 소리-철자를 고르세요.

예시

	강	
망	아	지
	지	

1

	개	
미		리
	리	

2

	너	
개		리
	리	

3

	비	
라		오
	오	

✏️ 공통으로 들어갈 소리-철자를 고르세요.

4

숲

책 　 방

락

5

하

손 　 건

구

6

감

보 　 기

탕

7

고

여 　 름

름

공통으로 들어갈 소리-철자를 고르세요.

8

자
운 □ 장
차

9

대
소 □ 기
무

10

청
기 □ 집
대

11

주
대 □ 리
니

공통으로 들어갈 소리-철자를 고르세요.

12

	사	
바		나
	이	

13

	동	
자		쇠
	원	

14

	동	
유		원
	미	

15

	우	
우		통
	국	

1

일

모 　 장

장

2

보

고 　 상

섬

3

농

수 　 물

물

4

의

예 　 장

주

🖊️ 공통으로 들어갈 소리-철자를 고르세요.

5

메

송   지

리

6

광

경   궁

절

7

병

토   토

개

8

은

지   도

수

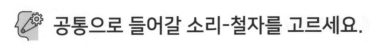
9

등
계 　 기
화

10

선
아 　 찜
자

11

오
남 　 문
산

12

용
독 　 리
철

공통으로 들어갈 소리-철자를 고르세요.

13

지
봉　리
개

14

지
보　달
길

15

보
머　띠
밥

16

사
꽃　발
리

공통으로 들어갈 소리-철자를 고르세요.

17

한
여 　 도
원

18

학
미 　 실
품

19

운
골 　 품
장

20

전
고 　 어
불

공통으로 들어갈 소리-철자를 고르세요.

1

	판	
잔		리
	리	

2

	허	
수		비
	띠	

3

	영	
과		원
	증	

4

	유	
부		꼴
	꽃	

5

고
전 □ 회
원

6

초
비 □ 금
화

7

주
자 □ 거
자

8

승
미 □ 실
차

공통으로 들어갈 소리-철자를 고르세요.

9

칼

애 [ ] 가

수

10

돌

경 [ ] 도

둥

11

까

가 [ ] 솥

귀

12

양

방 [ ] 국

이

13

	저	
옥		수
	지	

14

	도	
무		개
	사	

15

	전	
백		점
	기	

16

	거	
신		지
	고	

공통으로 들어갈 소리-철자를 고르세요.

17

```
    도
다     마
    락
```

18

```
    잔
오     오
    밭
```

19

```
    불
털     자
    지
```

20

```
    독
황     지
    대
```

4장

단어 종합

+ 단어 이해

+ 단어 연상

단어 이해

 질문에 해당하는 이름을 말해주세요.

1 추위를 막고 손에 끼는 물건은?

2 비타민이 풍부한 것은?

3 통화할 수 있는 것은?

4 몇 시 몇 분인지 알려주는 것은?

5 '송이'로 세는 과일은?

질문에 해당하는 이름을 말해주세요.

6 연주할 수 있는 것은?

7 조류인 것은?

8 보조장치는 어느 것입니까?

9 향이 있고 아름다운 것은?

10 신체를 보호하는 것은?

11 맞을수록 빨리 도는 것은?

예시

피리는 _____이다   (부는 것)   치는 것

1. 얼음물은 _____이다   찬 것   추운 곳

2. 고추장은 _____이다   매운 것   신 것

3. 주택은 _____이다   보는 것   사는 곳

4. 메모는 _____이다   반듯한 곳   기록하는 것

5. 빛은 _____이다   밝은 것   밝히는 곳

6. 시장은 _____이다   사고파는 곳   만드는 것

✏️ 빈 칸에 맞는 것을 골라 주세요.

7 감은 _____이다   보는 것   먹는 것

8 악기는 _____이다   소리내는 것   부치는 것

9 꼭대기는 _____이다   긴 것   정상인 곳

10 접시는 _____이다   보는 것   담는 것

11 망원경은 _____이다   보는 것   비추는 것

12 회화는 _____이다   찍는 것   그린 것

13 서울은 _____이다   수도인 곳   위쪽인 곳

관계 있는 말들과 연결해 주세요.

예쁘다 ●————————● 얼굴

1 높다　●　　　　　● 공기

2 무겁다　●　　　　　● 산

3 춥다　●　　　　　● 방

4 맑다　●　　　　　● 가방

5 넓다　●　　　　　● 겨울

꿈꾸 관계 있는 말들과 연결해 주세요.

6 깊다   •   • 손가락

7 쓰다   •   • 바다

8 크다   •   • 불빛

9 가늘다   •   • 약

10 환하다   •   • 비행기

11 가깝다   •   • 키

12 빠르다   •   • 거리

예시

무겁다 ●————————● **가방, 짐, 책**

1 **깊다** ●   ● **손가락, 허리, 발목**

2 **높다** ●   ● **키, 목소리, 눈**

3 **굵다** ●   ● **산, 하늘, 빌딩**

4 **가깝다** ●   ● **바다, 강, 생각**

5 **크다** ●   ● **거리, 사이, 일정**

관계 있는 말들과 연결해 주세요.

6	밝다	•		•	옷, 돈, 구두
7	길다	•		•	불, 색, 표정
8	넓다	•		•	이불, 옷, 종이
9	많다	•		•	짐, 책, 마음
10	어렵다	•		•	치마, 영화, 머리
11	얇다	•		•	마당, 바다, 집
12	가볍다	•		•	문제, 풀이, 관계

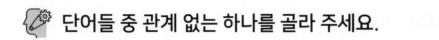

1. 총   창   명

2. 담   벽   솜

3. 철   쇠   털

4. 별   달   얼

5. 멍   점   공

6. 차   술   껌

7. 솜   곰   말

단어들 중 관계 없는 하나를 골라 주세요.

8   선   면   손

9   국   탕   벽

10   깨   먹   쑥

11   실   뱀   범

12   개   재   매

13   잣   꽃   콩

14   말   글   일

1	소식	정보	모집
2	친구	상무	동무
3	시내	미래	앞날
4	땅	육군	육지
5	기후	날씨	날짜
6	로또	쇼핑	복권
7	맛집	음식점	상식

8   실업   실사   실직

9   무더위   폭염   폭포

10   긍정   예정   부정

11   언덕   구릉   독도

12   표정   시사   뉴스

13   상가   점포   전세

14   어른   전진   노인

1	상어	연어	언어	민어
2	나라	외국	국가	외고
3	서재	서가	서고	서자
4	산업	침구	소비	생산
5	해명	설명	해무	해설
6	위치	이치	자리	장소
7	특기	재주	취사	기술

단어들 중 다른 하나를 골라 주세요.

8	연봉	보수	월급	급행
9	시내	도시	평지	도회지
10	모습	생김새	모집	모양
11	가게	점포	상정	상점
12	정보	뉴스	소식	단식
13	고생	난관	고난	직관
14	빚	채무	볕	부채

- 튼튼한 <u>다리</u>

- 현명한 _____

- 달콤한 _____

- 새콤한 _____

- 빛나는 _____

- 무거운 _____

- 인기있는 _____

- 우렁찬 _____

- 도시의 _____

- 뜨거운 _____

- 뾰족한 _____

- 빛바랜 _____

초코렛	아이돌	야경	레몬
불가마	다리	목소리	판단
책가방	메달	편지	화살

TV 프로그램 이름을 완성해 주세요.

- **1박** <u>2일</u>

- **무한** _____

- **골목** _____

- **장학** _____

- **전원** _____

- **도전** _____

- **개그** _____

- **전국** _____

- **6시 내** _____

- **복면** _____

- **아침** _____

- **수사** _____

일기	2일	퀴즈	가왕
노래자랑	반장	고향	식당
도전	골든벨	콘서트	마당

단어 연상

 제시어에 필요한 것들을 생각해 보세요.

예시

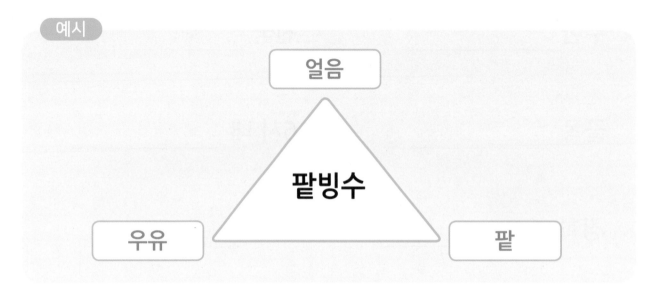

얼음

팥빙수

우유

팥

 제시어와 관계 있는 단어들을 생각해 보세요.

예시

개나리

봄바람

봄

입학식

아지랑이

음식에 필요한 재료들을 생각해 보세요.

1

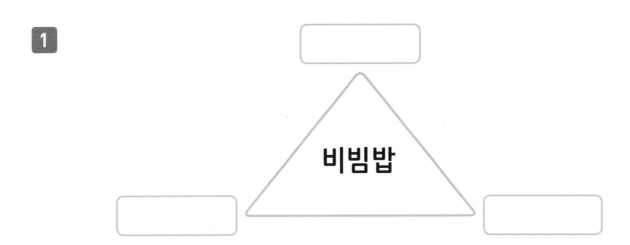

비빔밥

2

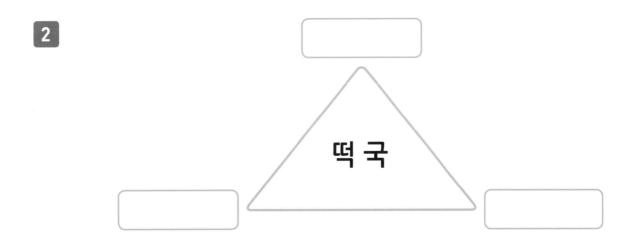

떡 국

3

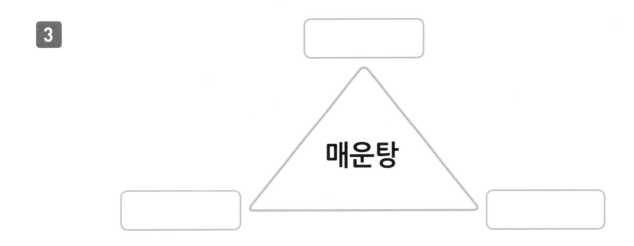

매운탕

음식에 필요한 재료들을 생각해 보세요.

4

잡채

5

떡볶이

6

김치

활동에 필요한 물품들을 생각해 보세요.

1

수 영

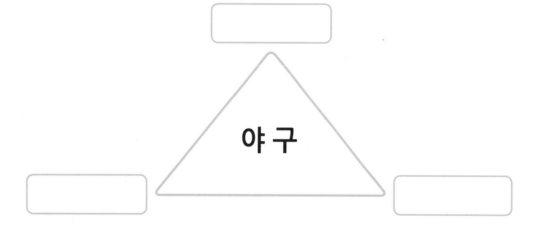

2

야 구

3

스 키

활동에 필요한 물품들을 생각해 보세요.

4

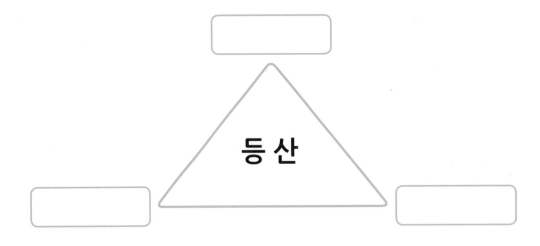

등 산

5

낚 시

6

청 소

특별한 날에 챙겨야 할 물건들을 생각해 보세요.

1
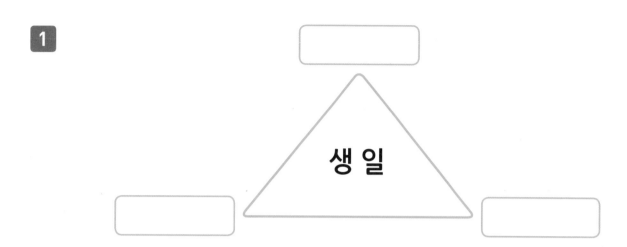

생 일

2
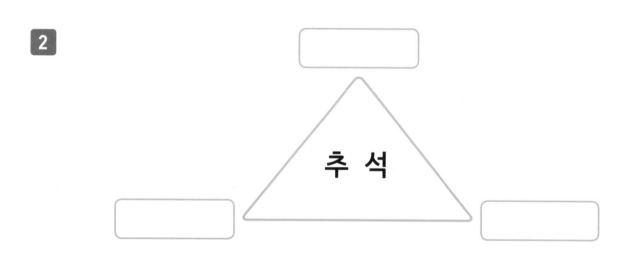

추 석

3
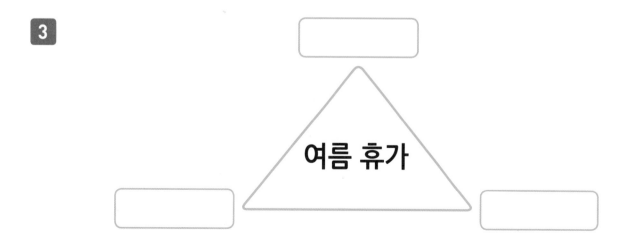

여름 휴가

특별한 날에 챙겨야 할 물건들을 생각해 보세요.

4 어버이날

5 소 풍

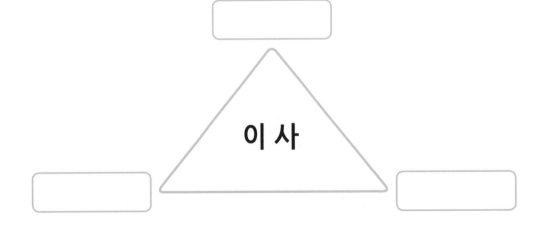

6 이 사

관계 있는 단어들을 생각해 보세요.

1

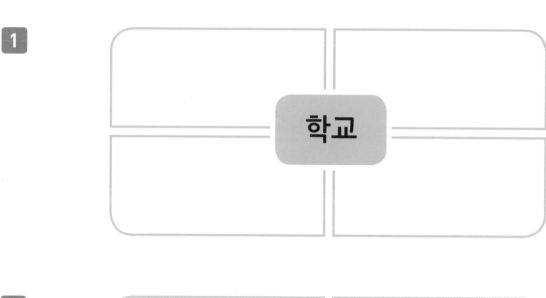

학교

2

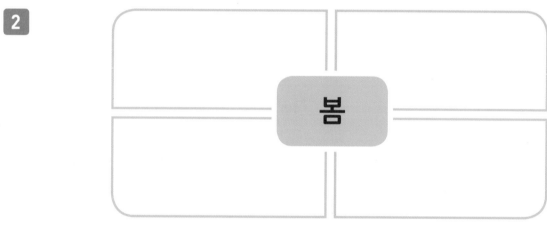

봄

3

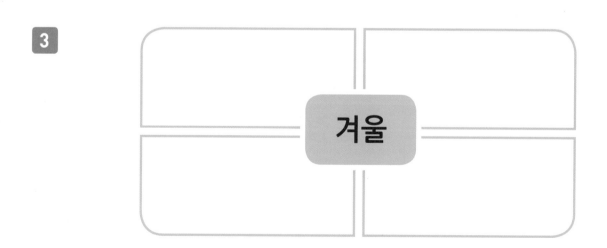

겨울

관계 있는 단어들을 생각해 보세요.

4

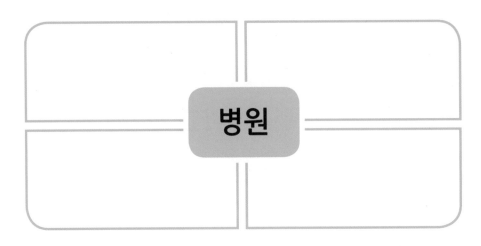

병원

5

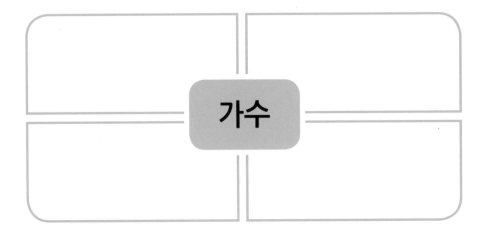

가수

6

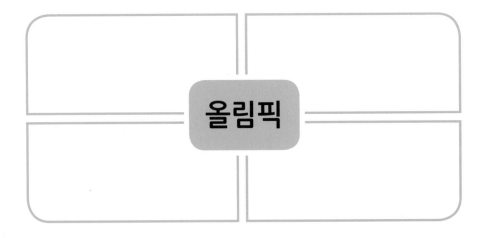

올림픽

관계 있는 단어들을 생각해 보세요.

1

월드컵

2

대통령

3

광복절

관계 있는 단어들을 생각해 보세요.

4

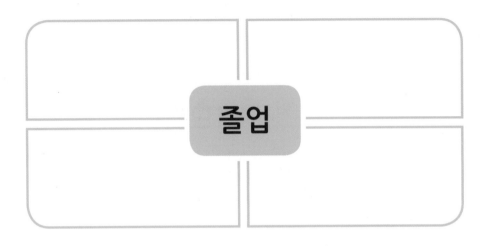

졸업

5

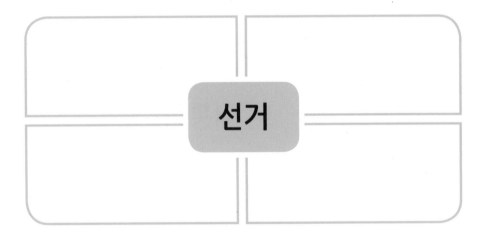

선거

6

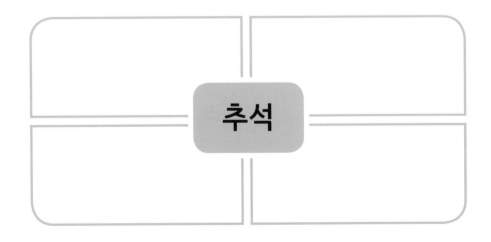

추석

5장

문장 완성

+ 어절 연결

+ 어절 배열

+ 조사 연결

어절 연결

  문장이 되도록 연결해 주세요.

예시

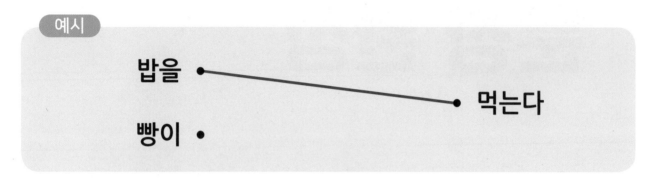

밥을 •
빵이 •
• 먹는다

1

산을 •
산이 •
• 높아요

2

의자를 •
방석이 •
• 당겨요

3

버스가 •
택시를 •
• 타요

4

마트가 •
시장을 •
• 가까워요

문장이 되도록 연결해 주세요.

5

운동을 •

• 합니다

치료가 •

6

팔이 •

• 씻는다

손을 •

7

국이 •

• 남긴다

밥을 •

8

책을 •

• 읽는다

신문이 •

9

숨을 •

• 쉰다

솜은 •

10

불을 •

• 켠다

풀이 •

문장이 되도록 연결해 주세요.

1

돈을 •

　　　　　　　• 모은다

논이 •

2

잠을 •

　　　　　　　• 잔다

잠에 •

3

이를 •

　　　　　　　• 닦는다

이에 •

4

문에 •

　　　　　　　• 닫다

문을 •

5

종이에 •

　　　　　　　• 그린다

공책을 •

6

집에 •

　　　　　　　• 들어간다

차를 •

문장이 되도록 연결해 주세요.

7

병원에 •

                • 다녀와요

친구를 •

8

종이로 •

                • 접어요

신문이 •

9

손으로 •

                • 발라요

손에서 •

10

회사로 •

                • 출근해요

가게가 •

11

영상으로 •

                • 통화해요

카톡이 •

12

세제로 •

                • 빨아요

이불이 •

1

이름이 •

이름을 •

• 부른다

2

카드로 •

돈이 •

• 계산한다

3

핸드폰을 •

전화에 •

• 바꾼다

4

컵이 •

커피를 •

• 주문한다

5

눈을 •

삽이 •

• 치운다

6

머리를 •

머리에 •

• 감긴다

문장이 되도록 연결해 주세요.

7

신발끈이 •

　　　　　• 풀어졌다

운동화에 •

8

방망이가 •

　　　　　• 부러 뜨렸다

지팡이를 •

9

발소리가 •

　　　　　• 들렸다

목소리에 •

10

바닥에서 •

　　　　　• 눕혔다

방바닥에 •

11

현수막이 •

　　　　　• 걸렸다

원두막을 •

12

이름에 •

　　　　　• 불렸다

별명으로 •

문장이 되도록 답을 찾아주세요.

예시

정민이는 〔　　　　　〕 먹습니다.

| ① 과제를 | ✔ ② 딸기를 | ③ 가방을 |

---

1 상욱이는 〔　　　　　〕 마십니다.

| ① 빵하고 | ② 우유를 | ③ 물이 |

---

2 선생님한테 〔　　　　　〕 드립니다.

| ① 말씀에 | ② 말속에 | ③ 말씀을 |

---

3 소년은 〔　　　　　〕 읽습니다.

| ① 소설책을 | ② 만화가 | ③ 책꽂이를 |

문장이 되도록 답을 찾아주세요.

4 포도는 [   ] 먹기도 합니다.

① 씨앗에	② 씨를	③ 줄기로

5 정옥이는 [   ] 닦습니다.

① 접시에	② 냄비를	③ 달력에서

6 연지는 [   ] 낍니다.

① 팔찌를	② 바지부터	③ 목걸이가

7 아버지는 [   ] 바릅니다.

① 스카프를	② 로션을	③ 안경하고

8 손주가 [   ] 합니다.

① 청소를	② 바닥을	③ 빗자루를

🧠 문장이 되도록 답을 찾아주세요.

1 사람들이 　　　　　　　　 바꾸었습니다.

① 전화기를	② 전화기가	③ 전보를

2 경서가 　　　　　　 봅니다.

① 책에서	② 영화에	③ 뉴스를

3 가족들과 　　　　　　　 합니다.

① 산속에	② 새 책을	③ 산책을

4 남편하고 　　　　　　　 먹었습니다.

① 아침밥을	② 식탁하고	③ 아침에서

5 학생이 　　　　　　　 건너갑니다.

① 골목에	② 차가	③ 지하도를

문장이 되도록 답을 찾아주세요.

6 친척들이 [ ] 합니다.

① 절을	② 악수가	③ 할머니로

7 사람들과 [ ] 합니다.

① 새 책을	② 이야기를	③ 산을

8 경비원이 [ ] 합니다.

① 순서가	② 순찰을	③ 불을

9 의사가 [ ] 봅니다.

① 치료가	② 지리로	③ 진료를

10 아들이 [ ] 씁니다.

① 글씨를	② 연필을	③ 책으로

문장이 되도록 답을 찾아주세요.

1 강아지가 [　　　　　] 물어 옵니다.

① 국수를	② 나무에	③ 막대기를

2 간호사가 [　　　　　] 놓습니다.

① 주사는	② 주사를	③ 주방에서

3 소가 [　　　　　] 끕니다.

① 짐이	② 집을	③ 수레를

4 아저씨가 [　　　　　] 물어 봅니다.

① 길을	② 마트가	③ 길로

5 소방관이 [　　　　　] 진화합니다.

① 산불에	② 선물을	③ 산불을

문장이 되도록 답을 찾아주세요.

6 친구에게 [ ] 사다 달라고 부탁합니다.

| ① 국이 | ② 밖에 | ③ 물을 |

7 지갑을 [ ] 두고 왔나 봅니다.

| ① 차를 | ② 돈에 | ③ 집에 |

8 인터넷에서 [ ] 예매했습니다.

| ① 접수가 | ② 표를 | ③ 차표가 |

9 1년 동안 [ ] 받았습니다.

| ① 병원에 | ② 약에 | ③ 치료를 |

10 다른 사람의 [ ] 됩니다.

| ① 보기를 | ② 본보기가 | ③ 돋보기로 |

어절 배열

📝 문장이 되도록 다시 만들어 보세요.

씁니다	글씨를	선생님께서

✏️ 선생님께서 글씨를 씁니다.

1

노래합니다	교실에서	아이들이

✏️

2

칼국수를	자주 먹습니다	우리는

✏️

3

요리합니다	주방에서	아내가

✏️

문장이 되도록 다시 만들어 보세요.

4	피었습니다	마당에	꽃이

🖉 _____

5	편지를	내가	보냈습니다

🖉 _____

6	일어납니다	늦게	남편은

🖉 _____

7	학생이	읽습니다	책을

🖉 _____

8	찹니다	공을	아이가

🖉 _____

문장이 되도록 다시 만들어 보세요.

1

친구에게	받았습니다	전화를

🖊 _____

2

머리를	감았습니다	밤에

🖊 _____

3

쏟았습니다	물을	바닥에

🖊 _____

4

치료를	받고 있습니다	병원에서

🖊 _____

5

만들었습니다	아이들은	눈사람을

🖊 _____

문장이 되도록 다시 만들어 보세요.

6

세수를	합니다	아들이

🖉 _____

7

엄마가	입습니다	바지를

🖉 _____

8

신사가	씁니다	모자를

🖉 _____

9

핸드폰을	부인이	찾습니다

🖉 _____

10

보고 있습니다	뉴스를	가족들이

🖉 _____

1

운동을	합니다	환자가

🖊 _____

2

가방 안에	두었습니다	전화기를

🖊 _____

3

여름옷을	맡겼습니다	세탁소에

🖊 _____

4

통화합니다	손주하고	영상으로

🖊 _____

5

날짜를	표시합니다	달력에

🖊 _____

문장이 되도록 다시 만들어 보세요.

| 6 | 저녁에 | 깨끗이 비웁니다 | 휴지통을 |

✏️

| 7 | 기다립니다 | 정거장에서 | 택시를 |

✏️

| 8 | 버리면 안됩니다 | 아무 곳에나 | 쓰레기를 |

✏️

| 9 | 장갑을 | 꼭 낍니다 | 겨울에는 |

✏️

| 10 | 보내줍니다 | 아들한테 | 아버지가 |

✏️

조사 연결

바른 문장이 되도록 <-이, -가> 중에 골라주세요.

예시

선생님	이	씁니다.

1	바람		붑니다.

2	구두		멋집니다.

3	새		날아갑니다.

4	아이		뛰어옵니다.

5	친구		필요합니다.

바른 문장이 되도록 <-이, -가> 중에 골라주세요.

6	밥		충분합니다.

7	이슬비		내렸습니다.

8	강아지		따라옵니다.

9	전화		울렸습니다.

10	시간		지났습니다.

11	이		흔들립니다.

12	세월		빠릅니다.

바른 문장이 되도록 <-을, -를> 중에 골라주세요.

예시

시계	를	고쳤습니다.

1	운동		매일 합니다.

2	구두		닦아 놓습니다.

3	청소		도와줍니다.

4	수건		빨았습니다.

5	친구		만났습니다.

바른 문장이 되도록 <-을, -를> 중에 골라주세요.

6	밥		새로 했습니다.

7	여름		좋아합니다.

8	강아지		키웁니다.

9	전화		받았습니다.

10	목욕		했습니다.

11	이		치료합니다.

12	사과		주문합니다.

바른 문장이 되도록 <-에, -에서> 중에 골라주세요.

예시

책상	에	앉아요.

1	도로		주차했습니다.

2	냉장고		꺼냅니다.

3	서랍		넣어 둡니다.

4	옷걸이		겁니다.

5	병원		치료합니다.

바른 문장이 되도록 <-에, -에서> 중에 골라주세요.

6	주자창		세워 둡니다.

7	바다		떠 있습니다.

8	계단		넘어졌어요.

9	냄비		담아둡니다.

10	뷔페		먹었습니다.

11	달력		적어 둡니다.

12	의자 밑		떨어졌습니다.

바른 문장이 되도록 <-로, -으로> 중에 골라주세요.

예시

풀	로	붙여주세요.

1	손		눌러 주세요.

2	휴지		닦아 주세요.

3	컴퓨터		작성하세요.

4	숟가락		떠서 드세요.

5	발		누르지 마세요.

바른 문장이 되도록 <-로, -으로> 중에 골라주세요.

6	연필		먼저 쓰세요.

7	가위		잘라 주세요.

8	입		불어 주세요.

9	물		씻어 주세요.

10	포크		드세요.

11	수건		덮어주세요.

12	식염수		소독하세요.

바른 문장이 되도록 <-로, -으로> 중에 골라주세요.

야외	로	가져갑니다.
방	으로	들어갔습니다.

1	식당		가고 있습니다.

2	병원		출발합니다.

3	거기		와 주세요.

4	공원		갑니다.

5	화장실		갑니다.

바른 문장이 되도록 <-로, -으로> 중에 골라주세요.

6	바다		가고 싶어요.

7	여기		오십시오.

8	집		보내주세요.

9	주차장		내려오세요.

10	치료실		들어가세요.

11	밖		나가지 마세요.

12	침대		가고 싶어요.

바른 문장이 되도록 <-에, -에게> 중에 골라주세요.

예시

집	에	가져갑니다.
삼촌	에게	받았습니다.

1	의사		말했습니다.

2	약국		갔다 왔어요.

3	친구		부탁합니다.

4	간호사		갑니다.

5	선생님		보여 주세요.

바른 문장이 되도록 <-에, -에게> 중에 골라주세요.

6	고향		가고 싶어요.

7	딸		줍니다.

8	문 앞		갖다 주세요.

9	아들		보냈습니다.

10	할머니		드립니다.

11	밖		나갈 겁니다.

12	부인		사 줍니다.

바른 문장이 되도록 <-와, -과 / -을, -를> 중에 골라주세요.

감자	와	고구마	를	샀습니다.
동생	과	형님	을	만났습니다.

1

누나		동생		만났습니다.

2

밥		약		먹었습니다.

3

운동		산책		항상 합니다.

4

국수		빵		좋아합니다.

5

친구		후배		봤습니다.

바른 문장이 되도록 <-와, -과 / -을, -를> 중에 골라주세요.

| 6 | 가지 | | 고수 | | 싫어합니다. |

| 7 | 노래 | | 춤 | | 따라 합니다. |

| 8 | 남편 | | 딸 | | 데리고 갔습니다. |

| 9 | 바지 | | 속옷 | | 넣었습니다. |

| 10 | 의사 | | 간호사 | | 불렀습니다. |

| 11 | 경찰관 | | 소방관 | | 보았습니다. |

| 12 | 키위 | | 복숭아 | | 샀습니다. |

바른 문장이 되도록 <-와, -과 / -은, -는> 중에 골라주세요.

1	사과		수박		과일입니다.

2	부산		울산		광역시입니다.

3	영국		일본		섬나라입니다.

4	잠자리		메뚜기		곤충입니다.

5	펭귄		곰		동물입니다.

6	여름		겨울		계절입니다.

7	의자		침대		가구입니다.

바른 문장이 되도록 <-와, -과 / -은, -는> 중에 골라주세요.

8	야구		축구		스포츠입니다.

9	커피		녹차		음료입니다.

10	돼지		오리		가축입니다.

11	울릉도		독도		우리 땅입니다.

12	호박		당근		채소입니다.

13	중학생		고등학생		청소년입니다.

14	메모		일기		기록입니다.

바른 문장이 되도록 조사를 넣어주세요.

| 선생님이 | 글씨를 | 씁니다 |

✏ 선생님이 글씨를 씁니다.

※ 가능하면, 전체 문장 따라쓰기도 해 보세요.

1

| 아이들___ | 노래___ | 합니다 |

✏

2

| 엄마___ | 칼국수___ | 좋아합니다 |

✏

3

| 부엌___ | 아내___ | 요리합니다 |

✏

바른 문장이 되도록 조사를 넣어주세요.

4	내___	연습___	열심히 합니다

✏️

5	꽃___	마당___	피었습니다

✏️

6	선생님___	쓰기___	도와줍니다

✏️

7	학생들___	책___	읽고 있어요

✏️

8	손주___	공___	잘 찹니다

✏️

바른 문장이 되도록 조사를 넣어주세요.

| 1 | 친구___ | 전화___ | 걸었어요 |

🖊 _____

| 2 | 바닥___ | 물___ | 쏟아졌어요 |

🖊 _____

| 3 | 저녁___ | 약___ | 먹었습니다 |

🖊 _____

| 4 | 병원___ | 치료___ | 받습니다 |

🖊 _____

| 5 | 의사___ | 설명___ | 해 주었습니다 |

🖊 _____

바른 문장이 되도록 조사를 넣어주세요.

6 | 아들___ | 사과___ | 보냈습니다 |

✏ _____

7 | 밖___ | 산책___ | 하고 왔어요 |

✏ _____

8 | 할아버지___ | 신문___ | 읽고 계십니다 |

✏ _____

9 | 손주___ | 세수___ | 합니다 |

✏ _____

10 | 치료사___ | 설명___ | 합니다 |

✏ _____

바른 문장이 되도록 조사를 넣어주세요.

| 1 | 요리사___ | 모자___ | 벗습니다 |

✏️ _____

| 2 | 국민___ | 대통령___ | 뽑습니다 |

✏️ _____

| 3 | 경찰___ | 음주운전자___ | 잡았습니다 |

✏️ _____

| 4 | 자녀___ | 부모님___ | 보살핍니다 |

✏️ _____

| 5 | 수리공___ | 배관___ | 고칩니다 |

✏️ _____

바른 문장이 되도록 조사를 넣어주세요.

| 6 | 내___ | 좋아하는 스포츠 ___ | 야구입니다 |

✏️ _____

| 7 | 친구___ | 김치___ | 갖다 주었습니다 |

✏️ _____

| 8 | 바닥___ | 영수증___ | 떨어뜨렸습니다 |

✏️ _____

| 9 | 아이들___ | 집___ | 놀다가 갑니다 |

✏️ _____

| 10 | 병원___ | 새 친구___ | 사귀었습니다 |

✏️ _____

6장

문장 구문

+ 부정문

+ 사동-피동문

+ 문장 이해

부정문

 바른 문장이 되도록 '안'과 '못' 중에 골라주세요.

예시

> 지금은 잠이 <u>　안　</u> 옵니다.
>
> 어제는 잠을 <u>　못　</u> 잤습니다.

1 지금은 몸이 ＿＿＿ 아픕니다.

2 작은 소리는 ＿＿＿ 듣습니다.

3 이제 다리는 ＿＿＿ 붓습니다.

4 다행히 컵은 ＿＿＿ 깨졌습니다.

5 멀리 있어서 ＿＿＿ 보입니다.

바른 문장이 되도록 '안'과 '못' 중에 골라주세요.

6 길이 좁아서 _____ 지나갈 겁니다.

7 예전과 달라서 _____ 알아봤습니다.

8 건전지가 없어서 _____ 켜집니다.

9 사진이 희미해서 _____ 보입니다.

10 길이 엇갈려서 _____ 만나고 왔습니다.

11 마음에 드는 것이 없어서 _____ 샀습니다.

12 품절이 되어서 _____ 샀습니다.

바른 문장이 되도록 '안'과 '못' 중에 골라주세요.

1 새로 산 가방을 _____ 찾았습니다.

2 필요 없을 것 같아서 _____ 가져왔습니다.

3 범인을 아직까지 _____ 잡았다고 했습니다.

4 잘 몰라서 답을 _____ 썼습니다.

5 가기 싫어서 _____ 간다고 말했습니다.

6 줄은 튼튼해서 _____ 끊어집니다.

7 어두워서 _____ 찾았을 겁니다.

8 시간이 촉박해서 인사를 _____ 했습니다.

9 옷이나 가방은 이제 더 _____ 사려고 합니다.

10 불친절해서 그 가게는 _____ 가려고 합니다.

11 벗어둔 안경을 아직 _____ 찾고 있습니다.

12 배가 불러 다 _____ 먹습니다.

13 재래시장에서는 물건값을 _____ 깎으려고 합니다.

14 서둘러서 갔지만 사전등록을 _____ 했습니다.

🖋 예시와 같이 문장을 만들어 주세요.

> **영희는 집에 갔다.**
>
> **영희는 집에** 안 갔다. _____
>
> **영희는 집에** 가지 않았다. _____

1 손님이 다 왔다.

손님이 다 _____

손님이 다 _____

2 오늘은 날이 춥다.

오늘은 날이 _____

오늘은 날이 _____

3 친구는 어제 떠났다.

친구는 어제 _____

친구는 어제 _____

예시와 같이 문장을 만들어 주세요.

4 오전에 교실에 들어갔다.

오전에 교실에 _____

오전에 교실에 _____

5 길이 잘 보인다.

길이 잘 _____

길이 잘 _____

6 아저씨가 나를 들여 보냈다.

아저씨가 나를 _____

아저씨가 나를 _____

7 공장은 설비를 갖추었다.

공장은 설비를 _____

공장은 설비를 _____

✎ 예시와 같이 문장을 만들어 주세요.

예시

순희는 집에 갔다.

순희는 집에   못 갔다.

순희는 집에   가지 못했다.

1 지훈이가 동화책을 샀다.

지훈이가 동화책을 _____

지훈이가 동화책을 _____

2 아저씨가 문제를 맞추었다.

아저씨가 문제를 _____

아저씨가 문제를 _____

3 언니와 영화를 봤다.

언니와 영화를 _____

언니와 영화를 _____

예시와 같이 문장을 만들어 주세요.

4 할머니께서 죽을 드셨다.

할머니께서 죽을 _____

할머니께서 죽을 _____

5 동생이 노래를 불렀다.

동생이 노래를 _____

동생이 노래를 _____

6 엄마는 나를 서울로 보냈다.

엄마는 나를 서울로 _____

엄마는 나를 서울로 _____

7 내가 순이 것을 챙겨주었다.

내가 순이 것을 _____

내가 순이 것을 _____

사동 · 피동문

 그림에 맞는 문장을 찾아주세요.

예시

✓① 남자가 여자를 밀어요.
② 남자가 여자한테 밀렸어요.

1

① 아기를 할머니가 업혔어요.
② 아기를 할머니가 업어요.

2

① 남학생이 머리카락을 잡아요.
② 여학생이 머리카락을 잡아요.

3

① 아빠가 아이를 안겨요.
② 아빠가 아이를 안아요.

그림에 맞는 문장을 찾아주세요.

4

① 하마가 돼지를 밀어요.
② 돼지가 하마를 밀어요.

5

① 아이는 머리를 빗어요.
② 엄마가 머리를 빗겨요.

6

① 친구가 개를 물었어요.
② 친구가 개한테 물렸어요.

7

① 아이가 엄마에게 먹였어요.
② 엄마가 아기에게 먹였어요.

그림에 맞는 문장을 찾아주세요.

8

① 아기를 엄마가 씻겼어요.
② 아이가 엄마를 씻겼어요.

9

① 여자가 머리를 잡혔어요.
② 여자가 머리를 당겼어요.

10

① 개한테 친구가 물렸어요.
② 개가 친구한테 물렸어요.

11

① 엄마가 아이의 머리를 빗겨요.
② 엄마의 머리를 아이가 빗겨요.

그림에 맞는 문장을 찾아주세요.

12

① 돼지가 하마한테 밀려요.
② 돼지가 하마를 밀어요.

13

① 남학생이 머리카락을 잡혔어요.
② 남학생한테 머리카락을 잡혔어요.

14

① 아기가 아빠한테 안아요.
② 아기가 아빠한테 안겨요.

15

① 할머니한테 아기가 업혔어요.
② 할머니가 아기한테 업혔어요.

맞는 문장이 되도록 <-이, -가 / -을, -를 > 중에 고르세요.

예시

> 아기가 운다.
>
> 동생이 아기를 울린다.

1 감자___ 익는다.

솥에 감자___ 익힌다.

2 쟁반에 떡___ 남았다.

그는 떡___ 남겼다.

3 연___ 높이 난다.

연___ 높이 날린다.

맞는 문장이 되도록 <-이, -가 / -을, -를> 중에 고르세요.

4 얼음____ 녹았다.

아버지가 얼음____ 녹였다.

5 얼음 위에서 팽이____ 돈다.

아이들이 팽이____ 돌린다.

6 동생____ 문 뒤에 숨었다.

내가 동생____ 문 뒤에 숨겼다.

7 우리____ 웃었다.

개그맨이 우리____ 웃겼다.

8 물____ 얼었다.

아이들이 물____ 얼렸다.

✏️ 바른 문장이 되도록 동사를 내용에 맞게 바꾸어 보세요.

예시

아이가 모기에게 물렸다.

모기가 아이를 물었다.

1 어제 도둑이 잡혔다.

경찰이 도둑을 _____

2 바닥에 얼룩이 지워졌다.

바닥에 얼룩을 _____

3 비둘기를 날렸다.

비둘기가 _____

4 동생을 문 뒤에 숨겼다.

동생이 문 뒤에 _____

5 선생님이 그에게 일을 맡겼다.

그가 선생님 일을 _____

6 오리가 여우한테 물렸다.

여우가 오리를 _____

7 다른 사진이 보였다.

다른 사진을 _____

8 사진에 이상한 비행물체가 찍혔다.

오빠가 이상한 비행물체를 _____

바른 문장이 되도록 동사를 내용에 맞게 바꾸어 보세요.

9 벌레가 새에게 잡아 먹혔다.

새가 벌레를 _____

10 나는 동생에게 꼬집혔다.

동생이 나를 _____

11 모자가 갑자기 벗겨졌다.

그는 모자를 _____

12 문이 세게 닫혔다.

아이들이 문을 세게 _____

13 우리 지역까지 고속도로가 뚫렸다.

시에서 새 고속도로를 _____

문장 이해

✏️ 질문을 맞은 답을 고르세요.

1 어느 것이 더 큽니까?

① 코끼리   ② 다람쥐

2 어느 것이 더 무겁습니까?

① 비행기   ② 자동차

3 어느 것이 더 가볍습니까?

① 동전 백원   ② 책 한권

4 어느 것이 더 작습니까?

① 개미   ② 매미

질문을 맞은 답을 고르세요.

5 어느 것이 더 느립니까?

① 달팽이   ② 토끼

6 어느 것이 더 빠릅니까?

① 자전거   ② 기차

7 어느 것이 더 높습니까?

① 빌딩   ② 초가집

8 어느 것이 더 단단합니까?

① 바위   ② 계란

9 어떤 사람이 나이가 많습니까?

① 청년   ② 장년

질문을 맞은 답을 고르세요.

10 어느 쪽이 더 어립니까?

① 형   ② 동생

11 어느 쪽이 더 큽니까?

① 298   ② 301

12 어느 쪽이 더 나중에 나옵니까?

① 서론   ② 결론

13 어떤 일이 더 먼저 일어났습니까?

① 한-일 월드컵   ② 평창 동계올림픽

14 어느 것이 더 위험합니까?

① 고무줄   ② 화살

🛠 질문에 맞은 답을 찾아주세요.

1 'ㄷ' 들어있는 단어를 찾아 읽고 동그라미 하세요.

송사리   미나리   개나리   사다리

2 'ㅎ' 을 찾아 세모 하세요.

보리   오리   허리   커리

3 '사' 들어있는 단어를 찾아 말해주세요.

자장가   소나무   조종사   서울역

4 당신의 생일은 무슨 계절인지 찾아 보세요.

봄   여름   가을   겨울

5 3보다 큰 숫자를 모두 찾아 동그라미 하세요.

1   7   2   5   3   4

질문에 맞은 답을 찾아주세요.

6 **16**보다 크고 **35**보다 작은 숫자들을 모두 찾아 주세요.

15　　　　34　　　　26　　　　20　　　　108

7 해운대는 어디에 있습니까?

부천　　　　부산　　　　포항　　　　영덕

8 카네이션은 누구에게 달아드립니까?

손주　　　　아들　　　　부모　　　　신부

9 여러 사람이 지키기로 정한 약속은 무엇입니까?

회의　　　　규칙　　　　응원　　　　청원

10 찌개를 끓이거나 담기 좋은 그릇은 무엇입니까?

장독대　　　　도배　　　　뚝배기　　　　말뚝

🧠 질문에 맞은 답을 찾아주세요.

1 하늘에 생기는 일곱 색깔 띠는 무엇입니까?

노을   안개   무지개   구름

2 비행기를 몰 수 있는 사람은 누구입니까?

조무사   항해사   조종사   수련의

3 여러 집이 모여 살고 있는 곳은 어디입니까?

마을   골짜기   주변   대피소

4 소리내지 않고 빙긋 웃는 웃음은 무엇입니까?

보조개   소미   애교   미소

5 '이삼일 전'을 이르는 말은 무엇입니까?

내일   엊그제   이 다음   어제

질문에 맞은 답을 찾아주세요.

6 '동물'을 세는 단위는 무엇입니까?

권 개 마리 장

7 늘 푸른 나무들을 무엇이라고 합니까?

상록수 생물 청솔모 기상청

8 가축이나 새들을 기르는 곳은 어디입니까?

지하 주차장 논 사육장

9 '춘추(春秋)'의 의미는 무엇입니까?

세금 시대 연세 음식

10 '하늘과 땅이 맞닿은 것처럼 보이는 선'은 무엇입니까?

지표면 대지 수평선 지평선

이어지는 적절한 내용을 연결해 주세요.

1 날씨가 좋습니다. •

• 점심 먹으러
갈까요?

2 새 차를 샀습니다. •

• 시끄럽게 하지
마세요.

3 학생들이
공부하고 있어요. •

• 산책하러
나갑시다.

4 배가 고파요. •

• 지하철로 갈 수
있습니다.

5 심심합니다. •

• 다른 것은 아껴야
합니다.

6 친구는 아직
안 왔습니다. •

• TV 좀 틀어주세요.

7 어디든지
괜찮습니다. •

• 다시 전화 해
볼까요?

8 오늘은 날이
흐립니다.
•   • 결국 나는 커피를
더 마셨습니다.

9 거기서 차가
많이 막혔습니다.
•   • 우산을 준비해
가세요.

10 내 비밀번호를
잊었습니다.
•   • 20분이나 늦게
도착했습니다.

11 나른하고 좀
피곤했습니다.
•   • 가끔 기억하는 데
애를 먹습니다.

12 준비하는데
시간이 걸립니다.
•   • 무엇이든지 빨리
배웁니다.

13 눈치가 빠르고
영리합니다.
•   • 매일 30분 이상
걷고 있습니다.

14 건강을 위해서
운동해야 합니다.
•   • 좀 기다려 줄 수
있습니까?

✏️ 읽고 답하고 쓰기를 해 보세요.

1 이름을 말하고 쓰세요. _____

2 나이를 말하고 쓰세요. _____

3 생일을 말하고 쓰세요. _____

4 주소를 말하고 쓰세요. _____

5 가족 이름을 말하고 쓰세요. _____

6 날짜와 요일을 말하고 쓰세요. _____

7 무슨 계절인지 말하고 쓰세요. _____

8 좋아하는 음식을 말하고 쓰세요. _____

9 하고 싶은 것을 말하고 쓰세요. _____

10 가지고 다니는 물건 이름을 말하고 쓰세요. _____

7장

문장 단락

+ 문장 순서

+ 단락 이해

문장 순서

✏️ 예시와 같이 문장을 만들어 주세요.

> **예시**
>
> 조금 있다가 운동하러 갈 겁니다. ⋯⋯⋯⋯⋯⋯ (3)
>
> 일어나자마자 세수를 했습니다. ⋯⋯⋯⋯⋯⋯ (1)
>
> 씻고 나서 밥과 바나나를 먹었습니다. ⋯⋯⋯⋯ (2)

1 친구와 맛있게 먹을 겁니다. ⋯⋯⋯⋯⋯⋯⋯⋯ (　　)

밥과 된장국을 차립니다. ⋯⋯⋯⋯⋯⋯⋯⋯⋯ (　　)

된장국이 다 끓었습니다. ⋯⋯⋯⋯⋯⋯⋯⋯⋯ (　　)

2 지금도 열심히 운동을 하고 있습니다. ⋯⋯⋯⋯ (　　)

어릴 적 꿈은 축구선수였습니다. ⋯⋯⋯⋯⋯ (　　)

언젠가는 멋진 축구선수가 될 것입니다. ⋯⋯⋯ (　　)

예시와 같이 문장을 만들어 주세요.

3 어제 친구와 약속을 잡았습니다. ················· ( )

같이 자주 가던 순대국 집에 가 볼까 합니다. ········ ( )

오늘 그 친구를 만났습니다. ················· ( )

4 아직 그 책을 다 읽지 못했습니다. ············· ( )

소설책을 빌렸습니다. ··················· ( )

그래서 하루 더 연장하려고 합니다. ············ ( )

5 집에 와서 다시 풀어보았습니다. ············· ( )

학교에서 셈하기를 배웠습니다. ·············· ( )

이번 주에 한 번 더 복습할 겁니다. ············ ( )

6 어느 날 그는 다친 제비의 다리를 고쳐주었습니다. ··· ( )

옛날 어느 마을에 마음씨 착한 흥부가 있었습니다. ··· ( )

그 제비는 흥부에게 박씨 하나를 물어다 주었습니다. ··· ( )

예시와 같이 문장을 만들어 주세요.

7 아침에 출발했습니다. ⋯⋯⋯⋯⋯⋯⋯⋯⋯⋯⋯ ( )

그래도 차가 많이 막히네요. ⋯⋯⋯⋯⋯⋯⋯⋯ ( )

서두르지 않고 천천히 가야겠습니다. ⋯⋯⋯⋯ ( )

8 미국에서 공부를 마쳤습니다. ⋯⋯⋯⋯⋯⋯⋯⋯ ( )

한국에 다녀와서 더 열심히 해야겠습니다. ⋯⋯ ( )

다음 주면 한국으로 잠시 돌아갑니다. ⋯⋯⋯⋯ ( )

9 샴푸로 깨끗이 씻어줍니다. ⋯⋯⋯⋯⋯⋯⋯⋯⋯ ( )

강아지를 데리고 욕실로 갑니다. ⋯⋯⋯⋯⋯⋯⋯ ( )

수건으로 물기를 닦고 털을 잘 말립니다. ⋯⋯⋯ ( )

10 생크림과 딸기로 먹기 좋게 꾸밉니다. ⋯⋯⋯⋯ ( )

오븐에 넣어 25분을 구워냅니다. ⋯⋯⋯⋯⋯⋯ ( )

밀가루, 우유, 달걀을 잘 섞어 반죽합니다. ⋯⋯ ( )

예시와 같이 문장을 만들어 주세요.

11　전화로 영화표를 예매했습니다. ……………………… (　　)

　　미리 가서 표를 찾고 팝콘도 샀습니다. ……………… (　　)

　　시작하기 10분 전에는 들어갈 수 있습니다. ……… (　　)

12　그 때마다 딸이 나를 잡아줍니다. …………………… (　　)

　　나는 공원에서 걷기 연습을 합니다. ………………… (　　)

　　내년에는 혼자서 잘 걸을 수 있을 겁니다. ………… (　　)

13　이번 주에 꼭 할머니를 보러 갈 겁니다. …………… (　　)

　　할머니 그동안 안녕하셨어요? ………………………… (　　)

　　저는 그동안 키가 많이 컸어요. ……………………… (　　)

14　그래야 친구들과 자유롭게 통화할 수 있으니까요. … (　　)

　　나는 다른 것 말고 휴대폰을 갖고 싶어요. ………… (　　)

　　이번 생일에는 받고 싶은 선물이 있어요. …………… (　　)

예시와 같이 문장을 만들어 주세요.

15 그는 한참을 찾다가 외딴집을 발견하였습니다. ……… (　　)

염치 불구하고 거기서 하루 신세를 지게 되었습니다. …… (　　)

나그네는 산속에서 헤매다 날이 저물었습니다. ……… (　　)

16 아침에 늦잠을 잤습니다. ……… (　　)

뛰어갔지만 결국 지각을 했습니다. ……… (　　)

어제 영화를 보느라 늦게 잤기 때문입니다. ……… (　　)

17 그리고 겉을 둥글거나 육각형으로 깎아 페인트를 칠합니다. …… (　　)

연필은 흑연을 속에 넣고 나무로 겉을 둘러쌉니다. …… (　　)

연필은 글씨를 쓸 때 사용합니다. ……… (　　)

18 빨간불에 멈추고 파란불이 될 때까지 기다립니다. …… (　　)

파란불로 바뀌면 좌우를 잘 살펴봅니다. ……… (　　)

차가 멈춘 것을 확인하고 천천히 건너갑니다. ……… (　　)

이야기를 읽고 질문에 답을 고르세요.

아버지와 함께

아버지는 오랜만에 나를 위해서 시간을 내 주셨습니다. 우리는 한강을 따라 두물머리까지 차를 타고 갔습니다. 내가 어릴 적에 아버지가 운전을 하시고 나는 뒤에 탔지만 이제는 내가 운전을 하고 있습니다.

아버지와 많은 말을 하지 않았지만, 같이 차를 타고 밥을 먹고 걷는 것만으로 행복한 시간이었습니다.

1 아들이 운전을 했습니까? ☐ 예 ☐ 아니오

2 아버지와 한강까지 갔습니까? ☐ 예 ☐ 아니오

3 나는 아버지 차를 뒤따라 갔습니까? ☐ 예 ☐ 아니오

4 아버지와 좋은 시간을 보냈습니까? ☐ 예 ☐ 아니오

수업 준비물

몹시 추운 겨울 아침입니다. 준이는 지난 밤에 늦게까지 자지 않고 텔레비전을 보았습니다. 결국, 아침에 늦잠을 자 버렸습니다. 눈을 뜨자마자 가방을 챙겨서 학교에 갔지만 수업 준비물을 다 챙기지 않았습니다. 가위, 풀, 색종이를 가져와야 하는데 풀과 종이가 없었습니다. 준이는 할 수 없이 친구에게 부탁해서 함께 만들기를 했습니다.

1 준이는 학교에 다닙니까? ☐ 예 ☐ 아니오

2 준이는 수업에 참석하지 못했습니까? ☐ 예 ☐ 아니오

3 준이의 수업 준비물은 가위, 풀, 색종이였습니까? ☐ 예 ☐ 아니오

4 준이는 풀만 챙겨갔습니까? ☐ 예 ☐ 아니오

이야기를 읽고 질문에 답을 고르세요.

피리 부는 사나이

어느 날 한 사나이가 광장 한 가운데서 능숙한 솜씨로 피리를 불었습니다. 그러자, 여기저기에서 마을 사람들이 모여들었습니다. 피리 부는 사나이의 공연은 너무나도 매력적이었습니다. 마을 사람들은 사나이의 피리소리에 마법이라도 걸린 듯 사나이 앞에 놓여 있던 모자에 돈을 넣기 시작하였습니다.

그러던 어느 날 마을사람들은 피리 부는 사나이에게 마을의 쥐를 잡아달라고 부탁했습니다. 그렇게 해 주면 큰 돈을 주겠다고 약속했습니다. 그 사나이는 그러겠다고 했습니다.

1 사람들은 광장에서 공연을 보았습니까? ☐ 예 ☐ 아니오

2 광장에서 사나이가 노래를 불렀습니까? ☐ 예 ☐ 아니오

3 사나이는 마을사람들에게 부탁을 했습니까? ☐ 예 ☐ 아니오

4 피리 부는 사나이는 아이들을 데려갔습니까? ☐ 예 ☐ 아니오

이야기를 읽고 질문에 답을 고르세요.

건강한 신체에 건강한 정신

행복해지려면 자신의 건강부터 먼저 신경써야 합니다. '건강한 신체에 건전한 정신이 깃든다.'는 말도 있지 않은가! 신체와 정신을 표현한 대표적인 명언입니다.

이 말의 유래는 고대 로마시대로까지 거슬러 올라가는데, 이전의 뜻이 조금 바뀌어서, 현재는 몸이 건강해야 밝고 즐거운 생활을 할 수가 있어서 정신도 건강해진다는 뜻으로 널리 사용됩니다.

1 몸 건강과 행복은 관계가 있습니까? ☐ 예 ☐ 아니오

2 건강하면 즐겁게 지낼 수 있습니까? ☐ 예 ☐ 아니오

3 로마시대 사람들은 모두 건강했을까요? ☐ 예 ☐ 아니오

4 몸과 마음은 서로 관계가 있습니까? ☐ 예 ☐ 아니오

✏️ 이야기를 읽고 질문에 답을 고르세요.

역사 박물관

　역사 박물관은 지하 2층, 지상 4층으로 이루어진 건물입니다. 매주 수요일은 휴관입니다. 지하 1층은 기념품가게와 편의시설들이 있고 지하 2층은 주차창입니다. 작품들을 감상하실 때 많이 걷게 되므로 편안한 옷차림과 신발을 착용하시면 좋습니다. 무엇보다 전시관 안에서는 작품에 손을 대거나 사진을 찍으시면 안됩니다. 손에 있던 땀이 작품을 상하게 할 수도 있고 카메라 불빛이 작품에 좋지 않은 영향을 끼칠 수도 있습니다.

1 역사 박물관은 1층~4층까지 있는 건물입니까?　☐ 예　☐ 아니오

2 역사 박물관의 작품을 만져도 됩니까?　　　☐ 예　☐ 아니오

3 수요일에는 박물관 관람을 할 수 없습니까?　☐ 예　☐ 아니오

4 박물관 기념품은 지하매장에서 살 수 있습니까?　☐ 예　☐ 아니오

이야기를 읽고 질문에 답을 고르세요.

종이컵 인형 만들기

우리가 사용하고 버리는 일회용 컵은 아깝다는 생각이 듭니다. 그래서 이것으로 인형을 만든다면 어떨까하고 생각했습니다. 나는 나무젓가락, 고무줄, 색연필, 가위, 풀, 사탕껍질을 가지고 실제로 종이컵 인형을 만들어 보려고 합니다.

컵을 적당하게 자르고, 색종이를 잘라 종이띠를 붙입니다. 고무줄로 색종이와 나무젓가락을 묶고 연결합니다. 마지막으로 색연필로 눈도 그리고 컵과 띠에 색칠도 하면 됩니다.

1 색종이로 인형을 만들었습니까?　　　　□ 예　□ 아니오

2 인형을 만드는데 고무줄도 필요합니까?　　□ 예　□ 아니오

3 유리컵에 띠를 붙이고 색칠도 했습니까?　　□ 예　□ 아니오

4 한 번 사용한 종이컵을 재활용했습니까?　　□ 예　□ 아니오

이야기를 읽고 질문에 답을 고르세요.

당나귀와 말

주인은 당나귀와 말 위에 짐을 싣고 길을 떠났습니다. 도중에 지쳐버린 당나귀가 말에게 자신의 짐을 조금만 대신 져 주면 좋겠다고 했습니다.

하지만 말은 당나귀의 부탁을 들어주지 않았습니다. 결국 당나귀는 지쳐 쓰러졌습니다. 그러자 주인은 당나귀가 지고 가던 짐을 모두 말에 실었습니다.

말은 당나귀 짐까지 몽땅 떠맡게 되자 그제서야 후회를 했습니다.

1 말은 당나귀의 부탁을 들어주지 않았습니까? ☐ 예 ☐ 아니오

2 결국 당나귀는 모든 짐을 떠맡게 되었습니까? ☐ 예 ☐ 아니오

3 당나귀는 말을 도와주었습니까? ☐ 예 ☐ 아니오

4 이기적이고 어리석은 것은 당나귀입니까? ☐ 예 ☐ 아니오

이야기를 읽고 질문에 답을 고르세요.

내 동생

　동생이 나를 귀찮게 할 때가 많습니다. 나는 화를 내거나 그러지 말라고 합니다. 그래도 동생은 자꾸 놀자고 내 등에 타거나, 아끼는 내 물건을 숨겨 놓습니다.

　내가 기분이 좋을 때는 괜찮지만, 기분이 나쁜 날에는 동생이 더 귀찮고 밉습니다. 그래서 내가 꿀밤을 한 대 때리면 바로 엄마한테 가서 고자질을 합니다.

　그러면 엄마는 우리 둘을 불러서 심부름을 하게 하거나, 과자만들기를 같이 해 보자고 하십니다.

1 동생은 내 과자와 음식을 가져가서 숨깁니까?　☐ 예　☐ 아니오

2 동생은 나와 같이 놀고 싶어합니까?　☐ 예　☐ 아니오

3 엄마는 나에게 꿀밤따기를 시켰습니까?　☐ 예　☐ 아니오

4 과자만들기는 엄마하고 동생과 다 같이 합니까?　☐ 예　☐ 아니오

이야기를 읽고 질문에 답을 고르세요.

일기

　일기란, 오늘 내가 겪었던 일 가운데 가장 기억에 남는 이야기를 주제로 생각과 느낌을 곁들여 쓴 글입니다. 학교 때, 일기는 매일 쓰도록 숙제를 주기도 하지만, 쓰고 싶을 때, 기억할 일이 있을 때마다 자신이 마음대로 쓸 수 있고 특별한 형식이 정해져 있는 것도 아닙니다. 그러나 대개 날짜와 요일을 쓰고 생활문 형식으로 씁니다. 누가, 무엇을, 언제, 어디서, 왜, 어떻게 했는지 사실과 감상을 적으면 됩니다.

1 일기는 매일매일 써야만 합니까?　　　　　　　□ 예　□ 아니오

2 일기에는 날짜, 요일, 겪었던 일을 씁니까?　　　□ 예　□ 아니오

3 숙제로 쓰는 글을 일기라고 합니까?　　　　　　□ 예　□ 아니오

4 했던 일과 재미있었던 것을 일기에 쓰면 됩니까?　□ 예　□ 아니오

이야기를 읽고 질문에 답을 고르세요.

범위가 넓은 말

'꽃'이라는 말에는 개나리, 진달래, 장미 등이 포함된다. '운동'이라는 말에는 야구, 축구, 배구 등이 포함된다. '비'에도 보슬비, 이슬비, 가랑비 등이 포함된다.

'집'이라는 말에는 아파트, 단독주택, 연립주택 등이 있다. '과일'이라는 말에는 사과, 참외, 귤, 포도 등이 있다. 꽃, 운동, 비, 집, 과일과 같은 말은 넓은 범위의 말이고 그 안에 포함되는 개나리, 야구, 보슬비, 아파트와 같은 그 보다 좁은 범위의 낱말들이 있다.

1 꽃, 야구, 집, 사과는 넓은 범위의 말입니까?　☐ 예　☐ 아니오

2 아파트보다 집은 넓은 범위의 말입니까?　☐ 예　☐ 아니오

3 귤보다는 과일은 좁은 범위의 말입니까?　☐ 예　☐ 아니오

4 무궁화도 꽃이라는 말에 포함됩니까?　☐ 예　☐ 아니오

우리말

옛날에는 순우리말을 지금보다 많이 썼다. 이것을 고유어라고 부른다. 고유어를 제외한 말을 외래어라고 한다. 외래어는 다른 나라에서 들어온 말이다.

외래어에는 한자어, 일본어, 몽골어, 만주어, 영어와 불어 등 매우 다양한 여러나라의 말들이 전부 들어간다. 말은 시대와 환경에 따라 새로 생기기도 하고 없어지기도 하고 변하기도 한다. 그래서 신조어라는 새로운 말도 많이 생기게 된다.

1 우리말에는 외래어도 있습니까? ☐ 예 ☐ 아니오

2 외국에서 들어 온 말을 신조어라고 합니까? ☐ 예 ☐ 아니오

3 말은 변하지도 새로 생기지도 않습니까? ☐ 예 ☐ 아니오

4 "하트"라는 말은 고유어 입니까? ☐ 예 ☐ 아니오

이야기를 읽고 질문에 답을 고르세요.

속담

'가는 말이 고와야 오는 말이 곱다' 이것은 내가 남에게 먼저 잘해야 남도 나에게 잘한다는 비유적인 표현입니다.

'가지 많은 나무에 바람 잘 날 없다'는 자녀가 많은 부모들은 자식 걱정에 근심이 많다는 뜻입니다. 여기서 가지는 자식을, 나무는 부모를 의미하고 바람은 근심과 고생을 뜻합니다.

이처럼 속담은 어떤 자연현상, 사물, 동물 등에 빗대어 만든 비유적인 표현이 많습니다. 그래서 적절한 의미와 뜻을 되새겨 볼 필요가 있습니다.

1 '아름다운 강산'과 같은 말은 속담입니까?　☐ 예　☐ 아니오

2 '공든 탑이 무너지랴'는 속담입니까?　☐ 예　☐ 아니오

3 속담은 비유적 표현으로 속뜻을 갖고 있습니까?　☐ 예　☐ 아니오

4 서로 서로 잘해야 한다는 속담이 있습니까?　☐ 예　☐ 아니오

8장

반대·
비슷한 말

+ 반대말

+ 비슷한 말

+ 어울리는 말

반대말

🖊️ 반대말을 고르세요.

1	가짜	•		•	세로
2	개인	•		•	안심
3	걱정	•		•	진짜
4	거절	•		•	집단
5	가로	•		•	슬픔
6	교외	•		•	승낙
7	기쁨	•		•	시내

✏️ 반대말을 고르세요.

1 나중   •   • 북극

2 남극   •   • 어제

3 내일   •   • 먼저

4 노력   •   • 형식

5 내용   •   • 오르막

6 능숙   •   • 태만

7 내리막   •   • 미숙

반대말을 고르세요.

1	**도시** •	•	**방해**
2	**대답** •	•	**분열**
3	**단결** •	•	**서양**
4	**대륙** •	•	**시골**
5	**도움** •	•	**식물**
6	**동양** •	•	**질문**
7	**동물** •	•	**해양**

 반대말을 고르세요.

1	마음	•		•	독재
2	문제	•		•	과거
3	무료	•		•	신체
4	민주	•		•	유료
5	목돈	•		•	해답
6	미래	•		•	의심
7	믿음	•		•	푼돈

1	바다	•		•	만족
2	부모	•		•	빈민
3	부자	•		•	찬성
4	불만	•		•	육지
5	반대	•		•	자식
6	방어	•		•	행복
7	불행	•		•	공격

반대말을 고르세요.

1   사랑   •   •   동물

2   소비   •   •   생산

3   식물   •   •   미움

4   서양   •   •   거짓

5   사실   •   •   희망

6   실망   •   •   동쪽

7   서쪽   •   •   동양

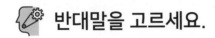

1 웃음 •   • 치욕

2 육식 •   • 급행

3 이성 •   • 안전

4 완행 •   • 채식

5 영광 •   • 울음

6 위험 •   • 은인

7 원수 •   • 감성

반대말을 고르세요.

1 조상 •　　　　• 자손

2 자연 •　　　　• 평화

3 저축 •　　　　• 소비

4 전쟁 •　　　　• 인공

5 절약 •　　　　• 곡선

6 증가 •　　　　• 낭비

7 직선 •　　　　• 감소

반대말을 고르세요.

1	**천국**	•	•	**도착**
2	**찬성**	•	•	**퇴임**
3	**천연**	•	•	**반대**
4	**출발**	•	•	**지옥**
5	**취임**	•	•	**꾸중**
6	**친정**	•	•	**인공**
7	**칭찬**	•	•	**시댁**

1	**타향** •	•	**입장**
2	**퇴장** •	•	**일반**
3	**통일** •	•	**분열**
4	**특수** •	•	**고향**
5	**탈퇴** •	•	**타자**
6	**투수** •	•	**본인**
7	**타인** •	•	**가입**

{ 반대말을 고르세요.

1	평화	•		•	부족
2	풍족	•		•	전쟁
3	패전	•		•	승전
4	편리	•		•	산악
5	평야	•		•	불편
6	평등	•		•	건설
7	파괴	•		•	차별

반대말을 고르세요.

1   현실   •   •   저항

2   효도   •   •   불효

3   협력   •   •   분열

4   항복   •   •   이상

5   합창   •   •   악취

6   향기   •   •   풍년

7   흉년   •   •   독창

비슷한 말

🧠 비슷한 말을 고르세요.

1	가난	•		•	절약
2	가족	•		•	식구
3	검소	•		•	빈곤
4	결혼	•		•	상점
5	계절	•		•	혼인
6	공부	•		•	철
7	가게	•		•	학습

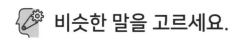

1	나라	•		•	실망
2	낙심	•		•	국가
3	농사	•		•	일기
4	농부	•		•	장난
5	날씨	•		•	농업
6	눈길	•		•	농민
7	놀이	•		•	시선

비슷한 말을 고르세요.

1	대답	•		•	궁전
2	대궐	•		•	응답
3	동안	•		•	노름
4	다짐	•		•	기간
5	도박	•		•	행동
6	동작	•		•	결심
7	뜻	•		•	의미

비슷한 말을 고르세요.

1 마음 •　　　　　　• 모양

2 맏딸 •　　　　　　• 큰딸

3 모습 •　　　　　　• 정신

4 무덤 •　　　　　　• 겨레

5 무예 •　　　　　　• 장래

6 민족 •　　　　　　• 산소

7 미래 •　　　　　　• 무술

비슷한 말을 고르세요.

1	발달 •	•	습관
2	버릇 •	•	국민
3	백성 •	•	발전
4	보배 •	•	근심
5	벗 •	•	보물
6	불안 •	•	양친
7	부모 •	•	친구

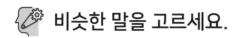

1	상점	•	•	가게
2	생명	•	•	생계
3	생활	•	•	스승
4	선생	•	•	사면
5	사방	•	•	목숨
6	사랑	•	•	이름
7	성명	•	•	애정

1	아우	•		•	운송
2	외국	•		•	동생
3	용기	•		•	훈련
4	운반	•		•	연분
5	이유	•		•	타국
6	인연	•		•	패기
7	연습	•		•	원인

비슷한 말을 고르세요.

1	자기 •	• 자신
2	작별 •	• 재간
3	자녀 •	• 자식
4	재주 •	• 이별
5	재산 •	• 고장
6	정신 •	• 마음
7	지방 •	• 재물

비슷한 말을 고르세요.

1 　　축하　•　　　　•　동의

2 　　천국　•　　　　•　축복

3 　　친구　•　　　　•　천당

4 　　찬성　•　　　　•　동무

5 　　출석　•　　　　•　참석

6 　　체험　•　　　　•　세상

7 　　천하　•　　　　•　경험

비슷한 말을 고르세요.

1 태풍 • • 폭풍

2 타향 • • 기반

3 태평 • • 화평

4 터전 • • 퇴직

5 퇴임 • • 출생

6 토론 • • 외지

7 탄생 • • 토의

비슷한 말을 고르세요.

1	편지	•	•	태풍
2	평생	•	•	경치
3	풍경	•	•	평야
4	피곤	•	•	서신
5	평원	•	•	일생
6	포구	•	•	피로
7	폭풍	•	•	항구

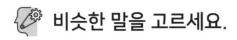

1	해안	•	•	공부
2	허락	•	•	허가
3	학습	•	•	해변
4	해외	•	•	효행
5	효도	•	•	재미
6	흉내	•	•	모방
7	흥미	•	•	외국

어울리는 말

✏️ _____ 말과 뜻이 어울리는 단어를 찾아주세요.

이<u>쪽</u>으로 가면 문이 나온다.

공간   (방향)

---

1 차를 사려면 <u>비용</u>이 많이 든다.

경비   계산

---

2 노력은 <u>성공</u>의 지름길

성취   성품

---

3 무언가에 <u>열중</u>하는 모습이 근사하다.

열심   염려

---

4 오늘 동생을 <u>전송</u>하고 왔다.

환송   배웅

---

5 시골에서 나고 자라서 곤충이 안 무섭다.

근교   농촌

6 언제부터 조금씩 재산이 줄어들었다.

재물   운수

7 어느 목숨이 소중하지 않은 것이 없다.

정신   생명

8 하와이는 사시사철 날씨가 좋고 사람들이 많다.

기호   기후

9 언제까지 불행만 계속되지는 않는다.

악연   불운

10 맛있게 먹고 기운을 내야겠다.

힘   기색

1 예전에 왕들은 대궐에 살았다.

왕궁   기와집

2 내 친구가 모임에서 책임자를 맡고 있다.

대리   대표

3 춤을 잘 추는 친구는 동작이 크고 아름답다.

움직임   동창

4 고운 말씨와 바른 몸가짐 연습이 필요하다.

외모   태도

5 차 창문에 나를 비춰 볼 때가 있다.

거울   유리

6 고민만 한다고 해결될 일은 없다.

걱정   후회

_____ 말과 뜻이 어울리는 단어를 찾아주세요.

7 한 번에 잘 되지 않는다고 실망할 필요가 없다.

낙서   낙심

8 성과보다 과정이 모두 중요하다.

결정   결과

9 청년들이 도시로 나가서 빈 집이 많다.

도회지   지방

10 20살이 되면 부모님으로부터 독립하려고 한다.

고립   자립

11 국가 유공자를 위한 묵념을 했다.

명상   묵도

12 누구나 방랑하는 시기가 있기 마련이다.

번창   유랑

_____ 말과 뜻이 어울리는 단어를 찾아주세요.

1 동굴 속은 생각보다 <u>캄캄했다</u>.

  침울했다   어두웠다

2 친구들은 모여서 신나게 <u>떠든다</u>.

  크게 이야기 한다   속삭인다

3 집에 들어오면 불부터 <u>켰다</u>.

  밝혔다   부쳤다

4 요즈음이 가장 <u>한가하다</u>.

  기쁘다   여유롭다

5 너무 싸게 산 물건을 <u>믿을 수 없다</u>.

  의심한다   불쾌하다

6 우리 삼촌은 싸움에 언제나 <u>강하다</u>.

  분발한다   이긴다

7 떨고 있는 강아지가 가여웠다.

슬펐다	불쌍했다

8 친구의 마음을 짐작했다.

상상했다	헤아렸다

9 대답하는 목소리가 힘차다.

우렁차다	울렁거리다

10 회의가 일찍 끝났다.

마쳤다	그쳤다

11 올림픽에서 아깝게 패했다.

끝냈다	졌다

12 친구가 먼저 내 손을 끌었다.

당겼다	놓쳤다

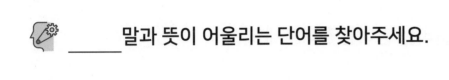

_____말과 뜻이 어울리는 단어를 찾아주세요.

1 계곡의 물고기들이 없어지기 시작했다.

작아지기   사라지기

2 어머니는 누구에게나 상냥하게 대하신다.

여유있게   친절하게

3 아침부터 준비해서 부지런히 왔다.

부득이하게   열심히

4 소들이 한가롭게 풀을 뜯고 있다.

마음껏   여유롭게

5 얼굴을 못 봐서 친구가 서운해 했다.

섭섭해   서러워

6 아이들이 어리지만 점잖게 앉아 있었다.

용감하게   의젓하게

7 **노래를 <u>신나게</u> 같이 불렀다.**

요란하게   즐겁게

8 **종이에 네모를 <u>큼직하게</u> 그렸다.**

커다랗게   또렷하게

9 **내 머리카락은 <u>처음부터</u> 곱슬머리다.**

일부러   원래부터

10 **할머니는 예전에 <u>부유한</u> 가정에서 컸다고 한다.**

풍족한   다정한

11 **이번에는 <u>반드시</u> 끝까지 할 것이다.**

결국   꼭

12 **<u>수줍어서</u> 말도 걸어보지 못했다.**

부끄러워서   고요해서

_____ 말과 뜻이 어울리는 단어를 찾아주세요.

1 진정한 <u>벗</u>이 있다면 행복하다.

부   친구

2 그 사나이는 <u>힘</u>이 장사였다.

세력   기운

3 이사 한 집 <u>꽃밭</u>에 채송화를 심을 예정이다.

화분   화단

4 발명왕 에디슨은 <u>괴짜</u>이기도 했다.

별난 사람   똑똑한 사람

5 어떤 일을 못하게 하는 <u>장애물</u>과 사건 사고는 늘 있다.

걸림돌   디딤돌

6 화재에 대비하여 <u>모의</u> 훈련을 1년에 2회 실시한다.

재연   훈시

✏️ _____ 말과 뜻이 어울리는 단어를 찾아주세요.

7 배가 <u>선착장</u>에 겨우 닿았다.

　　나루터　　　　　　　　매표소

8 올 해는 어느 해보다 <u>폭염</u>이 예상된다고 한다.

　　가뭄　　　　　　　　무더위

9 지난 해는 예상보다 <u>보너스</u>가 두둑하여 기뻤다.

　　장학금　　　　　　　　상여금

10 목화의 재배와 <u>면직물</u>의 발전은 인도를 중심으로 이루어졌다.

　　모직　　　　　　　　무명

11 보호자 <u>면담</u> 때문에 학교에 가 본 적이 있다.

　　상담　　　　　　　　면접

12 사람들은 <u>인연</u>이 있다면 꼭 다시 만날 수 있다.

　　희망　　　　　　　　연분

9장

어휘 심화

+ 흉내말
+ 어휘 의미

흉내말

🖊️ 어울리는 흉내내는 말을 찾아주세요.

아기가 _____ 걷는다.

구구구   (아장아장)   우물쭈물

1 호박이 _____ 구른다.

데굴데굴   주렁주렁   살금살금

2 참새가 _____ 노래한다.

꼬박꼬박   개굴개굴   짹짹짹

3 찌개가 _____ 끓고 있다.

씽씽씽   보글보글   졸졸졸

4 구름이 _____ 떠 있다.

오물오물   하늘하늘   뭉게뭉게

어울리는 흉내내는 말을 찾아주세요.

5 오리가 _____ 걸어간다.

덩덩덩   뒤뚱뒤뚱   느릿느릿

6 마차가 _____ 지나간다.

졸졸졸   데굴데굴   덜컹덜컹

7 함박눈이 _____ 내린다.

사르르   후룩후룩   펑펑

8 찬바람이 _____ 분다.

씽씽   쌩쌩   쑥쑥

9 봄바람이 _____ 불어온다.

살랑살랑   펄떡펄떡   미끌미끌

10 은방울이 _____ 울린다.

딸랑딸랑   졸래졸래   땡땡땡

어울리는 흉내내는 말을 찾아주세요.

1 보름달이 _____ 떴다.

말랑말랑   둥실둥실   대롱대롱

2 태극기가 _____ 흔들린다.

펄럭펄럭   무럭무럭   똑딱똑딱

3 이슬비가 _____ 내린다.

파르르르   고물고물   보슬보슬

4 아버지께서 차를 _____ 마셨다.

호로록   우물우물   홀랑홀랑

5 영이가 혼자서 _____ 울면서 갔다.

우물주물   콜록콜록   훌쩍훌쩍

6 나는 다리를 다쳐서 _____ 걸었다.

쿵쿵쿵   절뚝절뚝   살금살금

어울리는 흉내내는 말을 찾아주세요.

7 밤바다 파도소리가 _____ 들린다.

퐁당퐁당　　　　　　털썩털썩　　　　　　철썩철썩

8 대추나무에 대추가 _____ 열렸다.

소복소복　　　　　　주렁주렁　　　　　　새콤달콤

9 아기가 엄마 품에서 _____ 잘도 잔다.

소곤소곤　　　　　　쑤근쑤근　　　　　　새근새근

10 거미줄에 물방울이 _____ 달렸다.

대롱대롱　　　　　　헐렁헐렁　　　　　　주렁주렁

11 빨간 바람개비가 _____ 돌아간다.

빙글빙글　　　　　　싱글벙글　　　　　　징글징글

12 배추밭에 호랑나비가 _____ 춤을 춘다.

가물가물　　　　　　하늘하늘　　　　　　덩실덩실

🧠 어울리는 흉내내는 말을 찾아주세요.

1 아저씨의 이마에 땀방울이 _____ 맺혔다.

    송송송   창창창   포동포동

2 어제는 눈이 내려 _____ 쌓였다.

    다북다북   소복소복   차곡차곡

3 시골길 옆 코스모스가 _____ 흔들린다.

    흐물흐물   팔랑팔랑   한들한들

4 코끼리가 코를 _____ 거리며 어슬렁거린다.

    헐렁헐렁   벌름벌름   얼른얼른

5 산비탈 아래 초가집들이 _____ 모여있다.

    다복다복   가물가물   옹기종기

6 횡단보도 앞에서 _____ 하다가는 위험하다.

    성큼성큼   우물쭈물   하하호호

✏️ 어울리는 흉내내는 말을 찾아주세요.

7   아이들이 모여서 _____ 이야기를 하고 있다.

     방긋방긋   도란도란   아장아장

8   저녁이 되어 해가 서산으로 _____ 지기 시작했다.

     뉘엿뉘엿   살금살금   빙글빙글

9   감기에 걸려서 종일 _____ 기침을 하고 있다.

     껄껄껄   훌쩍훌쩍   콜록콜록

10   그물에 걸린 물고기가 _____ 뛰고 있다.

     오락가락   팔딱팔딱   미끌미끌

11   동생은 _____ 거리면서도 내 심부름을 해 준다.

     근질근질   조물조물   투덜투덜

12   내 이름이 불릴까봐 가슴이 _____ 거렸다.

     새근새근   두근두근   바둥바둥

어휘 의미

읽고 적절한 단어를 고르세요.

1 농사를 지어서 생활을 하는 사람 ·························· (농부)

2 편지나 물건 등을 가져다 전해주는 일 ·············· ( )

3 활이나 총 등으로 새나 동물을 잡는 일 ·············· ( )

4 어떤 일로 속을 태우거나 근심하는 것 ·············· ( )

5 편지를 받고 나서 상대방에서 쓰는 것 ·············· ( )

6 금, 은, 옥 따위로 비싸고 귀한 물건 ·············· ( )

걱정	답장	보물
사냥	농부	배달

읽고 적절한 단어를 고르세요.

7 기쁨, 노여움, 슬픔, 즐거움 감정 .... ( )

8 차별 없이 고르고 한결같은 것 .... ( )

9 베푸는 도움이나 고마운 일 .... ( )

10 몸을 쭉 펴 주는 행동 .... ( )

11 크게 화를 내며 꾸짖는 일 .... ( )

12 콩과 식물의 열매를 싸고 있는 껍질 .... ( )

기지개	은혜	희노애락
꼬투리	평등	불호령

📝 읽고 적절한 단어를 고르세요.

1 우리나라 고유의 무술 ·································· (   )

2 서울 한복판에 있는 산 ·································· (   )

3 계절에 따라 옮겨다니는 새 ····················· (   )

4 남의 자리에 끼어드는 것 ·························· (   )

5 생긴 모양새나 형태 ···································· (   )

6 밤 12시를 이르는 말 ································· (   )

자정	남산	새치기
생김새	태권도	철새

읽고 적절한 단어를 고르세요.

7 끼니 외에 먹는 음식, 주전부리 ⋯⋯⋯⋯⋯⋯⋯⋯ ( )

8 바다에 배가 드나드는 곳 ⋯⋯⋯⋯⋯⋯⋯⋯⋯ ( )

9 서로 팔을 엊고 나란이 걷거나 노는 것 ⋯⋯⋯ ( )

10 실제로 겪은 듯 생생한 느낌 ⋯⋯⋯⋯⋯⋯⋯ ( )

11 서로 주고 받고 하는 말 ⋯⋯⋯⋯⋯⋯⋯⋯⋯⋯ ( )

12 성실하게 거짓이 없이 대하는 마음 ⋯⋯⋯⋯⋯ ( )

이야기	정성	군것질
어깨동무	실감	항구

🧠 읽고 적절한 단어를 고르세요.

1 자기가 나고 자란 곳 ································· (   )

2 일상생활 자잘한 일에 쓰이는 적은 돈 ············· (   )

3 해가 솟아오름 ································· (   )

4 흥에 겨워 입속으로 부르는 노래 ············· (   )

5 좋은 느낌을 주는 냄새 ······················· (   )

6 지난 것을 잊지 않고 새겨 둠 ················· (   )

해돋이	향기	기억
콧노래	고향	용돈

7 습한 곳에서 자라는 독특한 향이 나는 연한 풀 ┈┈ (   )

8 길 양쪽으로 심어놓은 나무 ┈┈┈┈┈┈┈┈┈ (   )

9 둑을 쌓고 물을 모아 둔 큰 인공 못 ┈┈┈┈┈ (   )

10 참고 견디는 굳은 마음 ┈┈┈┈┈┈┈┈┈┈ (   )

11 우리나라 장을 담는 항아리 ┈┈┈┈┈┈┈┈ (   )

12 체면을 차릴 줄 알며 부끄러움을 아는 마음 ┈┈ (   )

장독	저수지	염치
미나리	인내심	가로수

![brain pencil icon] 읽고 적절한 단어를 고르세요.

1 말과 행동이 얌전하지 못하고 덜렁거리는 여자 ⋯ (　　　)

2 새가 알을 낳거나 깃들이는 둥우리 ⋯⋯⋯⋯⋯ (　　　)

3 남을 골리기 좋아하며, 고집 있고 짓궂은 사람 ⋯ (　　　)

4 집 안의 귀한 자손, 귀하게 자란 아이 ⋯⋯⋯⋯ (　　　)

5 말해도 듣지 않고 떼쓰거나 고집을 부림 ⋯⋯⋯ (　　　)

6 넘어져서 털썩 주저앉는 것 ⋯⋯⋯⋯⋯⋯⋯⋯⋯ (　　　)

심술쟁이	막무가내	말괄량이
엉덩방아	보금자리	금지옥엽

읽고 적절한 단어를 고르세요.

7 마음으로써 마음에 전하다 ·········· ( )

8 큰 일은 공적을 쌓아 천천히 이루어진다 ········ ( )

9 물건의 둘레나 테두리 ·········· ( )

10 일정한 거리 안에서 무선인터넷을 할 수 있는
통신망 ·········· ( )

11 얌전한 체하며 조금 쌀쌀맞은 사람 ········ ( )

12 듣기 좋은 말이지만 다른 이를 속이는 말 ······· ( )

대기만성	이심전심	와이파이
새침데기	가장자리	감언이설

10장

비유·속담

+ 관용 표현

+ 속담 완성

+ 속담 이해

관용 표현

📝 내용에 어울리는 말을 찾아주세요.

1 하던 일을 그만두다. .... (③)

2 배를 움켜 잡고 크게 웃다. .... ( )

3 기운을 내다. .... ( )

4 같은 말을 계속 듣는다. .... ( )

5 적극적인 태도를 취한다. .... ( )

---

① 소매를 걷어붙이다   ② 고개를 들다

③ 손을 떼다   ④ 귀에 못이 박히다

⑤ 배꼽을 잡다

내용에 어울리는 말을 찾아주세요.

6 가 본 길인데 잘 못 찾는다. ·········· ( )

7 자기의 위치나 분수를 모른다. ·········· ( )

8 부끄러움을 모른다. ·········· ( )

9 관계없는 사람을 헐뜯는다. ·········· ( )

10 어떤 정도나 바라는 것이 최고에 달하다. ·········· ( )

① 생사람을 잡다   ② 얼굴이 두껍다

③ 길 눈이 어둡다   ④ 더할 나위 없다

⑤ 하늘 높은 줄 모른다

✏️ 내용에 어울리는 말을 찾아주세요.

1 음식이 맛있어 잘 먹는다. ·························· (   )

2 아는 사람이 많고 인맥이 다양하다. ········ (   )

3 아끼지 않고 넉넉하게 쓴다. ················· (   )

4 다른 이에게 음식이나 술을 대접하다. ····· (   )

5 감정적으로 느껴지다. ························· (   )

① 가슴이 찡하다   ② 한 턱 내다

③ 발이 넓다   ④ 손이 크다

⑤ 입에 맞다

✎ 내용에 어울리는 말을 찾아주세요.

6 의견과 행동을 함께하다. ⋯⋯⋯⋯⋯⋯⋯⋯⋯ (　　　)

7 모든 일에 적극적으로 나서다. ⋯⋯⋯⋯⋯ (　　　)

8 갑자기 정신을 차리다. ⋯⋯⋯⋯⋯⋯⋯⋯⋯ (　　　)

9 불쾌한 말을 하지 못하게 하다. ⋯⋯⋯⋯⋯ (　　　)

10 음식을 가리거나 적게 먹다. ⋯⋯⋯⋯⋯⋯ (　　　)

① 입을 막다   ② 눈이 번쩍 뜨이다

③ 발 벗고 나서다   ④ 입이 짧다

⑤ 손발을 맞추다

속담 완성

단어를 찾아서 속담을 완성해 주세요.

하늘의 _____ 따기   (**별** , 달)

1   울며 _____ 먹기   (겨자 , 배추)

2   원님 덕에 _____ 분다.   (휘파람 , 나팔)

3   엎드려 _____ 받기   (절 , 술)

4   병 주고 _____ 준다.   (영 , 약)

5   우물에 가서 _____ 찾는다.   (숭늉 , 국물)

6 입술이 없으면 ＿＿＿＿ 가 시리다. （ 입 , 이 ）

7 작은 ＿＿＿＿ 가 맵다. （ 대추 , 고추 ）

8 짚신도 ＿＿＿＿ 이 있다. （ 짝 , 끈 ）

9 중이 제 ＿＿＿＿ 못 깎는다. （ 머리 , 손톱 ）

10 간이 ＿＿＿＿ 만 하다. （ 밤톨 , 콩알 ）

11 웃는 낯에 ＿＿＿＿ 못 뱉는다. （ 침 , 씨 ）

12 제 도끼에 ＿＿＿＿ 찍힌다. （ 발등 , 손 ）

단어를 찾아서 속담을 완성해 주세요.

1 지성이면 _____ 이다. (감복 , 감천)

2 참새가 _____ 을 그냥 지나치랴. (방앗간 , 외양간)

3 제 _____ 에 넘어간다. (끼 , 꾀)

4 천리길도 한 _____ 부터 (걸음 , 칸)

5 좋은 약은 _____ 에 쓰다. (입 , 몸)

6 젊어서 _____ 은 사서도 한다. (후회 , 고생)

단어를 찾아서 속담을 완성해 주세요.

7 십 년이면 _____ 도 변한다. (강산 , 마을)

8 변덕이 _____ 끓 듯 하다. (풀 , 죽)

9 배보다 _____ 이 더 크다. (발 , 배꼽)

10 소 잃고 _____ 고치다. (외양간 , 울타리)

11 불 난 집에 _____ 한다. (부채질 , 고자질)

12 아는 것이 _____ 이다. (정 , 힘)

철자힌트를 사용하여 속담을 완성해 주세요.

예시

형 만한 (아우) 없다. ⋯⋯⋯⋯⋯⋯⋯⋯⋯⋯⋯⋯⋯⋯ ㅇ ㅇ

쥐구멍에도 (볕) 들 날 있다. ⋯⋯⋯⋯⋯⋯⋯⋯⋯⋯⋯ ㅂ

1 제 도끼에 (　　　) 찍힌다. ⋯⋯⋯⋯⋯⋯⋯⋯⋯⋯⋯ ㅂ ㄷ

2 병 주고 (　　　) 주고 한다. ⋯⋯⋯⋯⋯⋯⋯⋯⋯⋯⋯ ㅇ

3 입술이 없으면 (　　　) 가 시리다. ⋯⋯⋯⋯⋯⋯⋯⋯ ㅇ

4 우물에 가서 (　　　) 을 찾는다. ⋯⋯⋯⋯⋯⋯⋯⋯ ㅅ ㄴ

5 다 된 밥 가마에 (　　　) 뿌린다. ⋯⋯⋯⋯⋯⋯⋯⋯ ㅈ

6 입이 비뚤어져도 (　　　) 은 바로 한다. ⋯⋯⋯⋯⋯ ㅁ

7 사공이 많으면 배가 (　　　) 으로 간다. ⋯⋯⋯⋯⋯ ㅅ

8 종로에서 뺨 맞고 (　　　) 가서 눈 흘긴다. ⋯⋯⋯ ㅎ ㄱ

9 염불에 마음 없고 (　　　) 에만 맘이 있다. ⋯⋯⋯ ㅈ ㅂ

10 자라 보고 놀란 가슴 (　　　) 보고 놀란다. ⋯⋯ ㅅ ㄸ ㄲ

예시

입은 비뚤어져도 (말) 은 바로 해라. ·············· ㅁ

하늘이 무너져도 솟아날 (구멍) 은 있다. ·········· ㄱ ㅁ

1 가지 많은 나무 (   ) 잘 날이 없다. ·············· ㅂ ㄹ

2 열 길 물속은 알아도 한 길 (   ) 속은 모른다. ···· ㅅ ㄹ

3 세 살 (   ) 여든까지 간다. ················· ㅂ ㄹ

4 고래 싸움에 (   ) 등 터진다. ·············· ㅅ ㅇ

5 웃는 (   ) 에 침 뱉으랴. ··················· ㅇ ㄱ

6 아이보는 앞에서 (   ) 도 못 마신다. ········· ㄴ ㅅ

7 소문난 (   ) 에 먹을 것 없다. ·············· ㅈ ㅊ

8 말 한마디로 천냥 (   ) 도 갚는다. ··········· ㅂ

9 소 잃고 (   ) 고친다. ·················· ㅇ ㅇ ㄱ

10 티끌모아 (   ) 이다. ···················· ㅌ ㅅ

속담 이해

🖊️ 내용에 어울리는 속담을 고르세요.

1 일이 뜻대로 되지 않아도
크게 손해 볼 것은 없다 •

• 바람 앞에 등불

2 아끼고 절약하는 사람이
부자가 된다 •

• 도토리 키 재기

3 모두 비슷한 처지에 서로
잘났다고 뽐을 낸다 •

• 티끌모아 태산

4 아무것도 모르면서 남이
하니까 그저 따라한다 •

• 밑져야 본전이다

5 처지가 매우 위험하고
어려운 상황이다 •

• 망둥이가 뛰니까
꼴뚜기도 뛴다

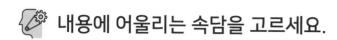 내용에 어울리는 속담을 고르세요.

6 좋은 얼굴로
대하는 사람에게
욕할 수 없다

• 약방의 감초

7 일을 시작하기가
어렵지 시작하면
할 수 있다

• 콩 심은데 콩나고
팥 심은데 팥난다

8 열심히 최선을 다 하면
좋은 결과를 예상할 수
있다

• 시작이 반이다

9 어떤 곳,
어떤 일에나
빠짐없이 있다

• 웃는 얼굴에
침 뱉으랴

10 어떤 일이든 그럴만한
이유와 원인이 있다

• 공든 탑이
무너지랴

내용에 어울리는 속담을 고르세요.

1 내가 도서관에 가면
단짝 친구인 정현이도
같이 간다 •

• 가는 말이 고와야
오는 말이 곱다.

2 한 사람에게만 말해도
주변 사람들이 다
알아버린다 •

• 친구 따라
강남 간다.

3 유명식당이라고 해서
가니 사람은 많고
맛은 없었다 •

• 소문 난 잔치에
먹을 것 없다.

4 어린 시절의
버릇은 늙어서도
고치기 어렵다 •

• 세 살 버릇
여든까지 간다

5 남자가 큰 소리를 치자
상대방도 언성을 높였다 •

• 발없는 말이
천리 간다

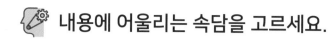 내용에 어울리는 속담을 고르세요.

6   일이 잘못 된 것은
     모두 그 사람들   •   평양감사도
     때문이라고 했다   • 제 싫으면
                                        그만이다

7   후배는 좋은
     취업기회가 있었지만   •   잘되면 제 탓
     가기 싫다고 했다   • 못되면 조상 탓

8   삼촌가게가 지금은 어렵지
     만 열심히 하시니 좋은   •   • 옥에 티
     기회가 있을 것이다

9   완벽한 그녀에게도
     말 못할 속사정과   •   • 우물안 개구리
     약점은 있다

10   내 동생은 공부만 해서   쥐구멍에도
     세상물정을 아직 잘 모른다 •   • 볕들 날이 있다